COMO TER O
Corpo de uma Estrela

COMO TER O CORPO DE UMA ESTRELA
COM 30 MINUTOS DE EXERCÍCIOS POR DIA

Kathy Kaehler

COMO TER O *Corpo de uma Estrela*

Tradução:
CARLOS AUGUSTO LEUBA SALUM
ANA LUCIA DA ROCHA FRANCO

EDITORA PENSAMENTO
São Paulo

Título original: *Kathy Kaehler's Celebrity Workouts*.

Publicado mediante acordo com a Broadway Books, uma divisão da Random House, Inc.

Dados Internacionais de Catalogação na Publicação (CIP)
(Câmara Brasileira do Livro, SP, Brasil)

Kaehler, Kathy
Como ter o corpo de uma estrela / Kathy Kaehler ; tradução Carlos Augusto Leuba Salum, Ana Lucia da Rocha Franco. -- São Paulo : Pensamento, 2006.

Título original: Kathy Kaehler's celebrity workouts.
ISBN 85-315-1443-5

1. Aptidão física - Planejamento 2. Educação física — Planejamento 3. Exercício 4. Ginástica 5. Treinadores pessoais I. Título.

06-1192 CDD-613.71

Índices para catálogo sistemático:
1. Personal trainers : Aptidão física : Educação física
2. Treinamento personalizado : Aptidão física : Educação física 613.71

O primeiro número à esquerda indica a edição, ou reedição, desta obra. A primeira dezena à direita indica o ano em que esta edição, ou reedição, foi publicada.

Edição 1-2-3-4-5-6-7-8-9-10-11
Ano 06-07-08-09-10-11-12-13

Direitos de tradução para o Brasil
adquiridos com exclusividade pela
EDITORA PENSAMENTO-CULTRIX LTDA.
Rua Dr. Mário Vicente, 368 — 04270-000 — São Paulo, SP
Fone: 6166-9000 — Fax: 6166-9008
E-mail: pensamento@cultrix.com.br
http://www.pensamento-cultrix.com.br
que se reserva a propriedade literária desta tradução.

Impresso em nossas oficinas gráficas.

Para o meu melhor amigo
e companheiro de vida, Billy.

Sumário

Introdução

Já lhe aconteceu de ver as celebridades de corpo esculpido e *sexy* que enfeitam as páginas de revistas como *People, Vogue* e *InStyle* e pensar que, se você tivesse um *personal trainer*, também estaria em grande forma? Com pouco tempo e orçamento limitado, talvez você pense secretamente que ter um corpo de Hollywood é coisa fora do seu alcance — possível apenas para quem tem sob seu comando um arsenal de *personal trainers* e estilistas, além da carteirinha da academia da moda e o mais moderno equipamento para malhar. Mas não é bem assim. Trabalhei com muitas das grandes estrelas de Hollywood e sei o que as deixa com aquela aparência enxuta e tonificada — e, acredite ou não, isso *é* possível para mulheres como você e eu. Neste livro, tenho a alegria de compartilhar com você os meus segredos profissionais. De agora em diante, seja você aspirante a atriz, professora ou dona de casa, serei a sua *personal trainer*, dando-lhe a orientação e o apoio de que você precisa para ficar em forma, perder quilos supérfluos e se achar o máximo.

Não sei o que você imagina, mas acredite que não é preciso treinar durante três horas por dia, gastar uma fortuna em equipamentos sofisticados nem banir os carboidratos da dieta para ficar em forma, sentindo-se *sexy* em suas roupas como qualquer sereia da tela. Meu plano para esculpir o corpo não exige um grande investimento de tempo, o que o torna viável mesmo para quem tem a vida insanamente corrida. Além disso, não exige máquinas e nem equipamentos caros. Na verdade, entrar em forma é muito mais simples do que se pensa. Com este programa, você vai fazer os mesmos exercícios simples mas eficazes que fazem Jennifer Aniston, Julia Roberts e minhas outras clientes famosas. As rotinas são fáceis de seguir e, assim como funcionaram para elas, vão funcionar para você. Este livro oferece também recomendações nutricionais cem por cento saudáveis e realistas — nada de truques vistosos com promessas questionáveis — para que você perca o excesso de peso com segurança e obtenha resultados duradouros.

Ao escolher este livro, você já deu um passo importante para mudar o seu corpo — e a sua vida — para sempre. Se você quer estar bonita para um evento especial, como um casamento ou uma reunião de colégio, ou voltar à boa forma depois de dar à luz ou de ter abandonado simplesmente a prática de exercícios, este programa vai ajudá-la a conquistar sua forma ideal. Se você nunca se exercitou antes, se tem dificuldade para se exercitar com regularidade ou se está frustrada com a falta de progresso e de resultados, vai descobrir aqui tudo o que precisa saber para virar uma nova página e despertar a sua motivação. O melhor de tudo é que vai aprender a fazer mudanças permanentes no estilo de vida, de modo a nunca mais precisar ficar acima do peso nem fora de forma.

Há mais de vinte anos, quando comecei minha carreira, eu não esperava que tantas clientes minhas se transformassem em estrelas de cinema e TV, supermodelos, cantoras e jornalistas famosas, como Meg Ryan, Sarah Jessica Parker, Barbra Streisand ou Maria Shriver. Afinal, cresci numa família norte-americana comum numa cidadezinha suburbana de Michigan. Mas admito que pode ser divertido fazer parte do cenário hollywoodiano. Além de ter a sorte de trabalhar com alguns dos maiores nomes do meio, vez por outra vou a estréias e festas cheias de estrelas. Mas, não obstante o brilho e o *glamour*, o que me interessa é ensinar as pessoas a manter a saúde e a forma. Gosto de dar a elas o conhecimento e as ferramentas necessárias para que se sintam na sua melhor forma.

Felizmente, logo cedo descobri o poder do exercício. Comecei a fazer balé, *jazz* e sapateado quando tinha nove anos e continuei até a faculdade. Além disso, eu corria e cheguei a jogar vôlei e basquete. Mas, mesmo sendo tão ativa, tive minhas brigas com a balança. Entre uma gravidez e outra (quando ganhei quarenta e vinte quilos, respectivamente) e um distúrbio alimentar no fim da adolescência e começo da vida adulta, tive a minha quota de altos e baixos. Nesta sociedade acelerada, estressada, com obsessão pela aparência e movida a tentação, sei por experiência própria como é difícil começar a se exercitar, comer de maneira saudável e sentir-se bem com relação ao corpo. No entanto, também sei que *é* possível superar maus hábitos, aprender a gostar de treinar e melhorar drasticamente a forma física.

Minha Verdadeira História em Hollywood

Muita gente me pergunta como virei *personal trainer* de estrelas. Se quer mesmo saber, tudo começou quando fui apresentada à atriz Jane Fonda em 1987. Eu trabalhava como instrutora de *fitness* num clube de Denver, quando meu colega e mentor, o fisiologista do exercício Daniel Kosich, Ph.D., foi trabalhar com Jane como consultor. É claro que fiquei emocionada. Jane não é apenas a estrela de alguns dos meus filmes favoritos (*Num Lago Dourado*, *Como Eliminar Seu Chefe* e *A Manhã Seguinte*), mas um ícone do exercício, que revolucionou a indústria do *fitness* quando, em 1982, lançou o vídeo *Jane Fonda's Workout*, um sucesso instantâneo. A esse, seguiu-se uma série de vinte e três outros vídeos, treze fitas de áudio e cinco livros, que venderam um total de dezesseis milhões de cópias.

Em suma, Jane era — e continua sendo — o meu ídolo. Eu teria dado qualquer coisa para trabalhar com ela. Assim, fiquei extasiada quando, seis meses depois, Daniel me telefonou e disse: "Jane está abrindo um *spa* e precisa de alguém para dar aulas de ginástica. Falei de você e ela quer conhecê-la." Ele explicou que Jane pretendia transformar a sua fazenda nas montanhas de Santa Bárbara num refúgio para pessoas da indústria do entretenimento. Trabalhar com Jane Fonda seria para mim a realização de um sonho. Fiz as malas e peguei um avião com destino à ensolarada Califórnia.

Quando cheguei ao Aeroporto Internacional de Los Angeles, eu não cabia em mim de tanta expectativa. Daniel tinha ido me buscar e, juntos, seguimos para a propriedade de Jane em Santa Bárbara. Depois de noventa minutos numa estrada movimentada e em estradinhas sinuosas montanha acima, diminuímos a velocidade diante de um enorme arco com uma placa onde se lia LAUREL SPRINGS. Foi então que comecei a ficar nervosa. Estava com o coração disparado, as palmas das mãos úmidas e não conseguia respirar direito. Paramos diante de um chalé cercado por gramados ondulantes. Lá estava eu, sentada no carro, tentando assimilar tudo aquilo e controlar a respiração, quando ela apareceu. *Jane Fonda*. Eu nunca tinha ficado tão emocionada na minha vida.

Jane estendeu a mão e apertou com firmeza a minha mão suada. (É claro que ela agiu como se não tivesse notado o suor, o que me deixou muito mais à vontade.) Então, fomos conhecer a fazenda. Enquanto caminhava, eu tinha que beliscar a coxa para ter certeza de que aquilo não era um sonho.

Jane observou que muitos dos prováveis clientes do *spa*, que incluíam atrizes e atores famosos, seriam provavelmente adeptos de exercícios da moda e veteranos em dietas malucas, como a do *grapefruit* e da sopa de repolho. Ela deixou claro que não defendia essas modas. E, o mais importante, que não estava à procura de alguém com uma fórmula mágica para eliminar cinco quilos num fim de semana. Ela queria alguém capaz de ensinar seus clientes a fazer do exercício uma parte da vida e não apenas a perder peso para conseguir um papel. A paixão de Jane era motivar as pessoas a se mexer. E isso era contagioso.

À medida que fomos nos conhecendo melhor, Jane me contou que tinha enfrentado distúrbios alimentares quando era mais jovem e eu lhe falei sobre alguns dos problemas que tive no colégio e na faculdade. Descontente com o corpo que tinha, eu tomava comprimidos para emagrecer e acabei ficando muito doente com uma bulimia que me trouxe graves deficiências nutricionais. Cheguei a ser hospitalizada algumas vezes, depois de convulsões causadas por aqueles hábitos terríveis. Aprendi algumas lições muito difíceis, que me levaram a desenvolver uma abordagem saudável e equilibrada à alimentação e à boa forma. Assim, expliquei a Jane que gostaria de ajudar outras pessoas a mudar o corpo e a vida por meio da alimentação e de exercícios sensatos. Fiquei feliz ao descobrir que ela e eu estávamos na mesma página da filosofia sobre perda de peso segura e estilo de vida saudável.

Depois da entrevista em Laurel Springs, voltei a Denver rezando para conseguir o emprego. Fiquei de dedos cruzados durante o vôo inteiro. Quando, alguns dias depois, Daniel telefonou me chamando, eu nem precisei pensar. Só perguntei quando podia começar. Fiquei nas nuvens: eu mal conseguia acreditar que Jane Fonda tinha me contratado — a *mim*, Kathy Kaehler!

Conhecer Jane foi um dos momentos mais importantes da minha vida pessoal e profissional. Além de me inspirar com a sua paixão pela boa forma e com o seu desejo de compartilhá-la com o maior número possível de pessoas, ela me ajudou a moldar a minha filosofia como *personal trainer*. E o ano que passei trabalhando em Laurel Springs acabou me abrindo as portas para a minha carreira em Hollywood.

Minha Outra Grande Oportunidade

Como diretora de programas no Laurel Springs Spa, trabalhei de perto com muitas celebridades, como as atrizes Melanie Griffith, Ally Sheedy e Sharon

Gless. Eu as treinava individualmente, levava-as para caminhar e pedalar, dava aulas de aeróbica e tonificação. Era emocionante conhecer essas mulheres de talento, mas descobri que eu não ficava nervosa perto delas. O abalo foi tão grande quando conheci Jane que fiquei vacinada. Depois disso, raras vezes fiquei pouco à vontade ou intimidada diante de celebridades. Sem as câmeras, a maquiagem e os vestidos de estilistas, elas são pessoas comuns, como eu e você.

Infelizmente, o *spa* não teve o sucesso que Jane esperava e ela se viu obrigada a fechar suas portas um ano depois. Eu já estava entrando em pânico, sem saber o que fazer da vida, quando recebi um telefonema de Melanie, que acabara de conseguir o agora famoso papel no filme *Uma Secretária de Futuro*. Ela queria que eu fosse a sua *personal trainer* durante a filmagem, em Nova York. Agarrei a oportunidade.

Esse foi o meu primeiro trabalho com uma estrela de cinema no local da filmagem: trabalhei com ela durante os dois meses da filmagem de *Uma Secretária de Futuro*. Ver Melanie se transformar na enérgica Tess McGill — que roubou o coração de Harrison Ford, deixando Sigourney Weaver para trás — foi muito gratificante. Vendo-a brilhar nesse papel, eu me senti como se tivesse contribuído um pouquinho. Trabalhar com ela foi muito divertido e logo ficamos amigas. Certa vez, resolvemos tirar a noite de folga e fomos juntas à famosa discoteca Limelight.

Mas, verdade seja dita, a vida no *set* de filmagem não era excitante e glamourosa como eu esperava. O elenco e a equipe ficavam horas a fio esperando para filmar uma cena. Às vezes, Melanie tinha que ficar no *set* o dia inteiro, desde manhã até altas horas da noite. Algumas estrelas tinham um *trailer* especial para treinar, com *dumbbells*, esteira e bicicleta. Mas Melanie não tinha. Então, sua única opção era malhar bem antes do amanhecer ou no fim do dia.

Quando o meu trabalho com Melanie terminou, fui para Montecito, Califórnia, e decidi tentar ganhar a vida como *personal trainer*. Ia a Los Angeles todos os dias e comecei a treinar Pamela Des Barres, autora dos campeões de vendas *Confissões de uma groupie - I'm with the Band* e *Take Another Little Piece of My Heart*, que também tinha conhecido em Laurel Springs. Pamela me apresentou então aos Zappas — Frank, Gail, Dweezil, Moon, Ahmet e Diva — que também se tornaram meus clientes. Os Zappas eram uma família incrível, hilariante. Até mesmo pelos padrões de hoje, fariam os Osbornes parecer sem graça!

Esses primeiros clientes iniciaram uma reação em cadeia. Por intermédio dos Zappas, conheci as atrizes Beverly D'Angelo e Brooke Shields. Então, por intermédio de Pamela, comecei a treinar Julianne Phillips, que estrelou *Sisters*, um dos meus programas de televisão favoritos, e a atriz Penelope Ann Miller, minha cliente e amiga desde então. Na verdade, foi Penelope que me levou a uma festa do filme *Com o Dinheiro dos Outros*, onde conheci meu marido, Billy, que estava lá como convidado de um assistente de Danny DeVito. Criada numa cidadezinha de Rochester Hills, em Michigan, nunca tinha imaginado que conviveria tão de perto com estrelas e, muito menos, que encontraria o amor da minha vida por intermédio de uma delas.

O boca-a-boca funciona a todo vapor em Hollywood — e minha carreira de *personal trainer* começou a decolar. Em pouco tempo, minha lista incluía Claire Forlani, Justine Bateman, Candice Bergen, Michele Pfeiffer e Jamie Gertz. De repente, tinha os sete dias da semana tomados por clientes como Julia Roberts, Denise Richards, Lisa Kudrow, Jennifer Aniston, Rita Wilson, Barbra Streisand, Meg Ryan, Maria Shriver, Cindy Crawford, Claudia Schiffer e Rob Lowe. As páginas da minha agenda pareciam saídas de *Variety* ou da *Page Six* do *New York Post*.

Nos bastidores, antes mesmo de nos casar, Billy ajudava a construir minha carreira. Com sua ajuda, negociei meu primeiro vídeo de exercícios, *The Kathy Kaehler Fitness System*, que incluía a participação de algumas clientes famosas. Mas eu não queria parar por ali. Queria continuar a difundir minha mensagem e a ajudar mais gente a descobrir o poder do exercício. Resumindo, queria ser um pouco mais como Jane Fonda.

"Alô, Aqui é Katie Couric..."

Lembro-me de ver *Today* na televisão quando criança. Minha mãe vivia com a televisão ligada na cozinha e *Today* era o programa que víamos no café da manhã. Era quase como se os apresentadores fizessem parte da família. Depois de deixar o ninho, dei seguimento a essa tradição e via o programa sempre que possível. Numa manhã, há cerca de dez anos, ocorreu-me que *Today* poderia ter um segmento dedicado à atividade física. A televisão parecia ser o veículo perfeito para mostrar a milhões de norte-americanos os benefícios do exercício e para ajudá-los a sair do sofá e começar a se mexer. Se não pudessem ir à academia ou não soubessem por onde começar, *Today* levaria às suas casas conselhos sobre boa forma e exercícios simples. E quem melhor para isso do que eu? Então, escrevi a Katie Couric uma carta sincera, resumindo a minha visão e a minha experiência.

Para minha surpresa, Katie leu a minha carta e ficou tão interessada que me telefonou pessoalmente. Eu não estava em casa e foi Billy quem atendeu o telefone — é claro que ele primeiro pensou que fosse um trote. Mas quando Katie mencionou a carta, que tinha me dado tanto trabalho, ele percebeu que não era uma brincadeira. Anotou o recado e telefonou para o meu celular imediatamente. Fiquei em êxtase! Eu não conseguia acreditar que Katie Couric tinha lido a minha carta, e muito menos que tinha se dado ao trabalho de ligar.

Retornei a ligação em seguida e, embora estivesse transida de nervoso, ela logo me pôs à vontade. Na vida real, ela é tão afetuosa e engraçada quanto na televisão. Na carta, eu tinha mencionado meus planos de ir para Nova York no final do mês, e ela me convidou para visitar o estúdio da NBC nessa ocasião. Fiquei que mal cabia em mim. Depois de agradecer profusamente, desliguei o telefone, com medo de acordar e descobrir que tudo tinha sido um sonho.

Algumas semanas depois, como convidada de Katie no estúdio, fui levada a uma sala especial onde assisti à gravação do programa. Depois, quando me encontrei com Katie em seu escritório, ela disse: "Vamos conversar para ver como podemos encaixá-la no programa." Nem preciso dizer que me senti imensamente lisonjeada e emocionada com o fato de ela me pôr sob a sua asa e me dar tanta atenção.

Mais tarde, nesse mesmo dia, Katie me apresentou a Bryant Gumbel, que era co-apresentador do programa na época, e ao produtor executivo, Jeffrey Zucker. Para minha alegria, Jeff me convidou para fazer um segmento-teste sobre atividade física. Tudo estava acontecendo tão depressa! No dia em que gravamos meu primeiro segmento, no Estúdio 1A em Rockefeller Plaza, eu estava tão nervosa que sentia borboletas voando no estômago, embora já tivesse estado uma ou duas vezes diante das câmeras. Eu sabia que essa era a oportunidade de uma vida e não queria estragar tudo.

Mas, no fim, deu tudo tão certo e o segmento obteve uma reação tão boa dos produtores que Katie me convidou para participar regularmente do programa. Quando telefonei para Billy para contar as novidades, estava tão emocionada que mal conseguia falar. Eu nunca tinha imaginado, nem em meus sonhos mais loucos, que uma coisa dessas aconteceria comigo. Quase que imediatamente, começaram a cuidar da papelada e o contrato foi assinado.

Foi então que a minha vida começou a ficar *realmente* agitada! Como *personal trainer*, minha agenda ainda estava totalmente tomada e agora eu ia voar para Nova York duas vezes por mês para aparecer no programa *Today*. Mas, até hoje, o programa me dá muita energia e motivação. É impossível não ficar de alto astral perto de pessoas como Katie, Matt, Al e Ann. Dos entrevistadores famosos à equipe técnica, todos são tão amigos, sensíveis e entusiasmados com o próprio trabalho, que eu me sinto em casa.

Por que Escrevi Este Livro

Hoje em dia, minha carga de trabalho ainda é muito pesada. Vou para Nova York pelo menos uma vez por mês para aparecer no programa *Today*. Há também outros projetos: trabalhar como consultora para o Royal Caribbean Cruises, atuar como porta-voz da Milk Board, da WalkMill™ e de outras organizações ou produtos, e até mesmo aparecer de vez em quando, como convidada especial, no seriado *As the World Turns*. E sou mãe de três filhos: os gêmeos de oito anos, Cooper e Payton, e Walker, de quatro anos.

É desnecessário dizer, estou sempre correndo para cumprir meus compromissos profissionais e, acima de tudo, para ser uma boa mãe. Mas, aconteça o que acontecer, arranjo tempo para me exercitar. Eu me comprometi a fazer algum tipo de atividade física na maioria dos dias da semana, mesmo que for só por dez minutos. Mesmo que não esteja com vontade, faço meus exercícios porque *sei* que vou me sentir melhor depois. Seja levantar peso, caminhar, jogar bola com meus meninos ou limpar a casa, o exercício sempre me dá bem-estar físico e mental. Malhar me ajuda a manter os pés

no chão e me dá a energia de que preciso para enfrentar minha vida agitada, uma vida que eu adoro.

Sei por experiência própria como é difícil encaixar uma atividade física numa agenda superlotada. E além de a *minha* agenda ser louca, a das minhas clientes também é. Planejar exercícios eficazes que se encaixem numa vida caótica acabou sendo minha marca registrada. E como sei que não são só as estrelas de Hollywood que vivem ocupadas durante as vinte e quatro horas dos sete dias da semana, este livro resume para você as minhas estratégias.

Também sei que, a despeito de todo o *frisson* que faz parte do dia-a-dia em Los Angeles, a atividade física não tem que ser complicada nem custar uma fortuna. Ao trabalhar com celebridades ou com pessoas comuns, uso rotinas muito simples. Quando me atenho ao básico, minhas clientes aderem com mais facilidade ao programa. Com o meu plano, você não precisa entrar numa academia nem comprar equipamentos caros. Para facilitar o seu treino no começo, você vai usar itens domésticos, como um baralho, um rolo de fita adesiva opaca e uma cadeira. Acredito que é graças a isso que fiquei conhecida em Hollywood: meus exercícios são diretos e podem ser feitos na privacidade da sua casa. E, melhor ainda, *eles dão resultados*.

Apesar do título chamativo e da aparência vistosa, este não é um livro da moda com soluções rapidinhas. Não tenho interesse nos modismos e truques alardeados nas revistas e na televisão. Principalmente porque eles não funcionam na vida real. A boa forma física não é obtida com uma pílula que queima a gordura ou com uma máquina mágica que se usa dez minutos por dia. Goste ou não, seja você quem for, a boa forma exige comprometimento constante. Minha meta é ajudá-la a canalizar a inspiração e a motivação que todas nós sentimos quando vemos alguém com um corpo fabuloso, e a desenvolver um hábito de se exercitar que dure a vida inteira.

Se você não se exercita há meses ou mesmo anos, este plano é o ideal para começar. Meu programa semanal inclui exercícios diferentes para cada dia da semana, para que você não se aborreça. São rotinas de força e cárdio, para queimar calorias, produzir força e aumentar o tônus muscular. O resultado: um corpo totalmente firme e tonificado, até mesmo naquelas áreas "impossíveis". Diferentes níveis de resistência aumentarão o benefício, usando o peso do próprio corpo ou *dumbbells*. Vou ajudá-la a começar no nível certo e trabalhar daí em diante. Vou lhe explicar também como tornar seus dias mais ativos, de modo a queimar mais calorias e melhorar o tônus muscular sem sentir que está se exercitando.

Lembre-se: boa forma não é ter um corpo perfeito, e até Hollywood sabe disso. Nos últimos anos, atrizes como Catherine Zeta-Jones, Megan Mullally e Drew Barrymore provaram que não é preciso ser alta e magra: as curvas também são *sexy*. Boa forma é se manter saudável, sentir-se bem e ter a melhor aparência possível. É claro que todas nós gostaríamos de ser como as *starlets* maravilhosas que andam pelo tapete vermelho nas festas do Oscar. Mas é preciso também aprender a aceitar o nosso tipo físico. Tenho que encarar o fato de que nunca vou ter 1,80 metro e 54 quilos, como algumas supermodelos de hoje. Por mais exercícios que faça, nunca vou ter pernas esguias e longas como as de Julia Roberts ou quadris pequenos como os de Claudia Schiffer. Mas aprendi a ficar feliz com o meu corpo, especialmente quando estou em forma e me sentindo saudável. No entanto, ter como exemplo as estrelas de Hollywood é maravilhoso porque nos inspira a malhar regularmente e a cuidar do corpo. Tenha em mente que todas elas trabalham duro para manter a forma — e que, ao usar os segredos delas, você também vai chegar à sua melhor forma.

Pode ser que, como muita gente, você já gaste muito tempo e energia pensando no corpo e no peso. Se é esse o seu caso, essa já é uma prioridade em sua mente. Agora, vamos transformá-la numa prioridade em suas ações. Em vez de reclamar da aparência e dos números na balança, mexa-se! Você pode ter o brilho de uma diva de Hollywood, a energia de uma adolescente e o melhor corpo que já teve. Depende de você. Então, o que você está esperando? Comece a se mexer!

COMO TER O CORPO DE UMA ESTRELA COM 30 MINUTOS DE EXERCÍCIOS POR DIA

CAPÍTULO 1

Meus Segredos Hollywoodianos de Boa Forma ... Revelados!

Psiu... Quer que eu lhe conte um segredinho de Hollywood? O corpo bonito e *sexy* das mulheres que você vê na televisão e no cinema não é simplesmente produto de genes bons. Nem todas as suas celebridades preferidas nasceram com um corpo impecável e nem sempre foram tão enxutas e esculpidas. Na verdade, como você e eu, quase todas elas têm que trabalhar duro para estar sempre tão em forma, tonificadas e parecendo tão jovens.

Temos a tendência a pô-las em pedestais, mas as celebridades não são super-humanas. Algumas, como as supermodelos Cindy Crawford e Claudia Schiffer, podem ter vantagens genéticas. Mesmo assim, têm que fazer exercícios e prestar atenção ao que comem. E nem sempre é fácil! Como você e eu, há dias em que elas têm preguiça. Ou se acham sem coordenação ao tentar fazer um novo exercício. Ficam entediadas quando fazem o mesmo exercício muitas e muitas vezes. Têm vontade de comer *pizza*, sorvete e outras coisas que engordam. Muitas vezes, não querem fazer mais nada além de desabar no sofá, principalmente depois de um longo e exaustivo dia no *set* de filmagem.

Minhas clientes famosas podem não ter empregos tradicionais, das oito às seis, mas com certeza não têm o dia inteiro para ficar na academia. Na verdade, nenhuma das atrizes ou modelos que treino se exercita mais do que uma hora por vez. Essas mulheres são incrivelmente ocupadas! O trabalho do momento pode ser um filme, um seriado de TV, um *show* de moda ou uma sessão de fotos, mas a agenda é sempre apertada. Estou falando de dez, doze horas de trabalho por dia! Além das carreiras caóticas, elas têm família, contas, supermercado e inúmeras outras responsabilidades, como qualquer outra pessoa. E a maioria não tem uma equipe de assistentes pessoais para ajudar. Julia Roberts, por exemplo, não tem nem empregada para limpar a casa. É ela mesma que lava os pratos, enxuga o banheiro e passa o pano no chão da cozinha.

As celebridades estão sempre sob o escrutínio da câmera, seja no *set* de filmagem, no tapete vermelho ou fugindo dos *paparazzi*. Imagine ter o seu corpo ampliado numa tela ou fotos suas em todas as bancas de jornal: assim, vai entender o que as motiva para manter a forma. Infelizmente, para algumas, a pressão é demais. Nos últimos anos, várias celebridades, como Paula Abdul e Carré Otis, começaram a falar da luta que travaram para ser tão artificialmente magras. Para manter o peso, algumas puseram a vida em risco por recorrer a táticas pouco saudáveis, como se exercitar demais, vomitar, abusar do álcool, das drogas, do cigarro e de diuréticos fortes. Outras passaram pelo bisturi no cirurgião plástico para fazer lipoaspirações ou implantes.

Felizmente, Hollywood acordou para o fato de que a supermagreza é super sem graça e superdoentia. Há dez anos, na indústria do entretenimento, "skinny Minnie" era considerada gorda. Tamanho Zero era a norma em Los Angeles. Mas, nestes últimos anos, a forma do corpo "ideal" começou a mudar. O estilo flagelado está fora. Agora é a vez do corpo em forma e tonificado! *Sexy* é ser forte, enxuta e saudável. Muitas das nossas estrelas favoritas — incluindo Catherine Zeta-Jones e Jennifer Lopez — passaram a aceitar suas curvas. E todos nós sabemos que é disso que os homens realmente gostam!

Sei muito bem como é perigoso querer ser magra demais. Embora nunca tivesse me preocupado com o peso quando criança, no colegial eu comecei a ficar infeliz com o meu corpo. Eu não estava acima do peso: tinha uma constituição vigorosa e atlética. Mas achava que tinha que ser mais magra. No meu último ano de colégio, comecei a tomar comprimidos de venda livre para emagrecer. Esse hábito insano continuou pelos anos de faculdade, quando enfrentei também a bulimia. De manhã, tomava um desses comprimidos e ficava sem comer até a fome tomar conta de mim. Depois de comer feito uma louca para satisfazê-la, eu corria para o banheiro e vomitava. A certa altura, eu estava tomando cinco comprimidos por dia para emagrecer.

Uma tarde, no primeiro ano de faculdade, tudo começou a mudar. Quando eu estava saindo do alojamento, tive uma convulsão. Acordei na calçada, com um paramédico ajoelhado ao meu lado. Mais tarde, no hospital, menti para os médicos, dizendo que a causa da convulsão devia ser *stress* e falta de sono. Eles acreditaram em mim e me deram alta. Mas nem mesmo essa experiência assustadora foi suficiente para me fazer parar. Continuei por mais um ano naquele círculo vicioso: comia demais—vomitava—tomava comprimidos. Até que tive outra convulsão. Percebendo que ia morrer se não mudasse de comportamento, jurei parar de vomitar e de tomar os comprimidos.

Lançando mão de toda a autodisciplina que tinha, assumi o controle da minha vida. Busquei informações sobre alimentação saudável e comecei a dar ao meu corpo os nutrientes de que ele tanto precisava. Desde essa época, nunca mais tomei comprimidos nem vomitei. E mantive os bons hábitos por cerca de dez anos, até que mudei para Los Angeles. Nesse ponto, minha carreira ia a todo o vapor e eu tinha o tempo todo tomado, treinando minhas clientes e dando aulas de aeróbica. Com isso, eu me exercitava em excesso e não comia o suficiente. E estava saindo com um ator famoso, que gostava de viver à noite e dormir de dia. Cada noite era uma festa e me sobravam poucas horas para dormir. Durante o dia, bebia baldes de café para ficar acordada.

Com tudo isso, o meu corpo sofria. Eu me sentia cansada e desgastada. Sabia que não estava vivendo de maneira saudável e, para alguém cuja carreira era baseada em saúde e boa forma, eu me sentia uma hipócrita total. Então, em 1990, a corda arrebentou. Tive uma terceira convulsão durante uma caminhada com uma cliente. No hospital, o médico ameaçou me receitar anticonvulsivantes, o que significava perder a carteira de motorista. Como eu precisava dirigir para ver minhas clientes, prometi a ele que mudaria meus hábitos assim que saísse por aquela porta. E assim fiz. Depois desse dia, revi totalmente o meu estilo de vida. Comecei a comer direito e a dormir oito horas por noite. E me comprometi também a deixar a cafeína de vez. Desde então, minha saúde é excelente.

Ao longo da minha vida pessoal e profissional aprendi a me manter em forma, saudável e com boa aparência. E minha carreira tem sido, em grande parte, dividir esse *know-how* com figuras importantes da indústria do entretenimento. Agora, chegou a hora de ensinar *você*. Neste capítulo, você vai conhecer minha abordagem pessoal à boa forma. Vou lhe indicar maneiras fáceis de introduzir mais atividade nos seus dias lotados e normas alimentares fáceis de seguir. Além disso, vou discutir os princípios básicos da perda de peso e lhe contar por que uma mudança de atitude pode ser a chave do sucesso.

Mas de uma coisa não se pode esquecer: por mais que você queira entrar naquele *jeans* justinho, por mais que sonhe em ter a aparência daquelas mulheres fabulosas que povoam nossos filmes e programas favoritos, a sua saúde é muito mais importante. Acredite: é isso o que eu digo a todas as minhas clientes. Neste livro, vamos trabalhar duro para que o seu corpo entre numa boa forma incrível. Mas vamos também respeitá-lo e aceitá-lo — ele é o único que você tem.

A Equação do Exercício

Todo mundo precisa mexer o corpo para se manter jovem e saudável. É simples assim. Quase todos os sistemas do organismo — do cardiovascular ao ósseo — se beneficiam com a atividade física regular. Ao se manter ativa, você reduz o risco de várias doenças, como pressão alta, diabete, osteoporose e muitas formas de câncer. O exercício ajuda a fortalecer o sistema imunológico para que você se defenda de doenças gravíssimas e também de males comuns, como o resfriado.

Como muita gente sabe, o exercício regular é essencial também para prevenir o excesso de peso. Apesar de todas as dietas da moda que aparecem com estardalhaço nas revistas, as pesquisas mostram que a combinação de exercício e alimentação saudável é a melhor maneira de perder peso sem ganhar tudo de novo. Quando você se exercita, queima calorias que, de outra maneira, seriam armazenadas em forma de gordura. Quando a massa muscular aumenta, o metabolismo se acelera e o corpo queima mais calorias ao longo do dia, esteja você empurrando o carrinho do supermercado ou sentada, vendo televisão.

Mas os benefícios não param por aí! O exercício também tem um forte efeito sobre o estado de espírito. Durante a atividade física, o cérebro libera neurotransmissores chamados endorfinas, que ajudam a melhorar o humor, a reduzir o *stress* e a ansiedade. Os estudos mostram que o exercício regular pode ser tão eficaz quanto os antidepressivos para aliviar a depressão leve ou moderada. Quando você está muito cansada, o exercício a ajuda a recuperar a energia, o otimismo, a clareza e a criatividade. Depois de uma boa sessão de atividade física, você ficará mais produtiva e tomará decisões melhores. Além disso, ficará menos propensa a perder o controle.

Segue-se, portanto, que o exercício pode ter um impacto enorme sobre o que você é capaz de conquistar na vida. Estando mais bem equipada para administrar o *stress* emocional e fisiológico, você tem mais controle sobre a vida. Passa a dormir melhor. Sente-se melhor com relação a si mesma. Tem mais confiança, seja para fazer uma apresentação no trabalho ou para fechar o zíper do seu vestido favorito — ou, no caso de minhas clientes famosas, para receber o Oscar ou filmar uma calorosa cena de cama.

Quando uma cliente me procura querendo entrar em forma para um papel num filme, para uma aparição na TV ou para um desfile de moda, eu sempre repito que o exercício não é um quebra-galho temporário. O mesmo vale para você, que escolheu este livro querendo perder peso ou ficar com tudo mais durinho para uma ocasião especial — um casamento, uma reunião ou uma viagem a um lugar tropical nas férias de verão. Não há nada mais motivador do que saber que você vai dar de cara com o ex ou usar um biquíni em público! Mas se quiser resultados duradouros, tem que fazer da atividade física uma parte da sua vida.

A atividade física não é só uma meta: é um estilo de vida que lhe proporciona o máximo de bem-estar e beleza. E, com isso, a melhor vida possível. Não é um luxo superficial: é necessária ao bem-estar e à saúde. As celebridades deste livro são tão deslumbrantes porque fizeram da atividade física uma parte da sua rotina. Elas nem sempre gostam, mas assumiram esse compromisso e é graças a *ele* — e também a um plano sensacional de exercícios — que obtêm resultados estelares. Neste livro, vamos fazer o mesmo por você. Pode ser que você não adore se exercitar mas, se persistir, juro que vai adorar o que o exercício faz pelo seu corpo! E, à medida que for ficando mais forte, vai se surpreender buscando oportunidades para se mexer.

O Triângulo da Boa Forma

A boa forma física tem três partes: boa forma cardiovascular, força e flexibilidade. Esses três componentes são vitais para um corpo saudável e equilibrado — e devem ser a base de qualquer plano consistente.

O exercício cardiovascular trabalha um dos músculos mais importantes — o coração — juntamente com os pulmões. Se você fizer treinos cardiovasculares regularmente, seu coração não vai precisar se esforçar tanto para bombear o sangue para o corpo inteiro e os pulmões vão liberar mais oxigênio com menos esforço. Isso se traduz em mais força e resistência, esteja você correndo atrás dos seus filhos ou competindo numa prova ciclística. Como queima muitas calorias, o treino de cárdio é também uma ferramenta importante para perder peso.

Metabolismo 101

A composição do corpo é o primeiro fator que determina o ritmo metabólico em repouso (RMR) — ou seja, o número de calorias que o corpo queima em repouso. Quanto mais massa magra você tiver (incluindo músculos, ossos e órgãos), mais alto será seu RMR. Depois dos trinta anos, o RMR das mulheres diminui de dois a três por cento a cada década, principalmente devido à inatividade e à perda muscular. Felizmente, parte dessa perda pode ser evitada ou até mesmo revertida com exercício regular, especialmente treinamento de força.

O treinamento de força ajuda a construir e a preservar a massa muscular, sendo essa a única maneira de elevar permanentemente o RMR. O exercício aeróbico também proporciona uma elevação metabólica temporária, embora sem efeito duradouro. Um treino de cárdio vigoroso, que realmente aumente o ritmo cardíaco, eleva o metabolismo em até 20 por cento. Depois, o metabolismo volta lentamente ao normal ao longo de algumas horas — mas você continua queimando calorias no meio-tempo.

Lembre-se: sempre que perder peso, seu RMR vai ficar mais lento, já que terá menos massa corporal para sustentar. Como resultado, você precisará de menos calorias para manter suas funções vitais. Para continuar a perder peso, vai ter que comer um pouco menos, aumentar a intensidade dos exercícios e acrescentar mais atividade ao seu dia. Senão, a perda de peso vai acabar atingindo um platô.

O segundo componente, o treinamento de força, trabalha músculos importantes em outras partes do corpo — pernas, nádegas, quadris, braços, ombros, peito, costas e barriga. À medida que ficamos mais velhas, os músculos e os ossos ficam mais fracos, especialmente se você não come direito ou não se exercita o suficiente. Os exercícios de força ajudam a evitar e até a reverter essas perdas, reduzindo o risco de osteoporose. Além disso, quem tem músculos fortes tem menos probabilidade de ter dores nas costas e outros males debilitantes. Além disso, você vai ter mais força para a sua próxima aventura, seja ela uma caminhada num parque nacional ou um longo dia num parque de diversões.

Muitas mulheres acham que o treino de cárdio, como correr ou andar na esteira, é a única maneira de emagrecer. Mas isso é um erro. Na verdade, o treinamento de força é a arma secreta de muitas das mais atraentes estrelas de Hollywood. Com ele, você desenvolve músculos específicos e conquista aquelas formas *sexy* e esculpidas que todas nós admiramos. Aumentando a massa muscular, você não fica apenas mais definida, mas seu metabolismo se eleva e, assim, você queima mais calorias durante o dia inteiro. Músculo pesa mais do que gordura mas ocupa menos espaço — então, mesmo que os números da balança não mudem, suas roupas vão ficar folgadas e sua aparência mais firme e tonificada.

A última parte do triângulo é a flexibilidade. Os músculos são como elástico — incrivelmente resilientes. Mas quanto menos você os usa, mais rígidos eles ficam. A flexibilidade é crucial para evitar contusões e manter a motilidade. Ao alongar regularmente, você mantém a flexibilidade dos músculos, aumenta a amplitude dos movimentos, melhora o equilíbrio e favorece a postura. Além disso, as pesquisas sugerem que alongar imediatamente depois do treino de força aumenta mais ainda a massa muscular, resultando numa elevação metabólica ainda maior.

Quanto é o Suficiente?

E agora a pergunta de um milhão de dólares: quanto você tem que se exercitar para colher todos os benefícios e chegar à sua melhor forma? Para controlar o peso e ter uma ótima saúde, os especialistas recomendam no mínimo 30 a 60 minutos de exercício moderado na maioria dos dias da semana. Trinta minutos por dia já trazem importantes benefícios para a saúde e são uma boa meta inicial se atualmente você é sedentária. À medida que for entrando em forma, você pode aproximar a meta dos 60 minutos e/ou aumentar a intensidade dos exercícios, para ter ainda mais benefícios e queimar mais calorias.

Isso pode parecer impossível para quem não tem se exercitado regularmente. Mas não desanime! Com meu programa, você vai começar devagar e, aos poucos, trabalhar na produção de força. Você pode também malhar no seu ritmo. Se tempo é um problema para você e lhe parece difícil dispor de 30 ou 60 minutos do seu dia, lembre-se de que os benefícios do exercício são cumulativos. Em outras palavras, você não tem que fazer seus 30 ou 60 minutos de uma só vez. Faça um pouco de manhã, um pouco na hora do almoço e um pouco no fim da tarde. (No Capítulo 2 há mais detalhes sobre esse tipo de programação.)

Quando se trata de entrar em forma, alguma atividade é sempre melhor do que nenhuma. Mas o excesso de exercícios também não faz bem, como descobri do jeito mais difícil. No começo de minha carreira em Hollywood, eu me exercitava demais — até mesmo para uma *personal trainer*! Num dia comum, eu treinava de cinco a seis clientes em seguida e dava aulas de aeróbica à noite. Eu achava que estava em ótima forma, mas logo descobri que o excesso de exercício provoca lesões e esgotamento. Vivia fatigada e tinha dores freqüentes devido a uma ou outra lesão.

As sessões de exercício devem revigorá-la e não destruí-la. Então, é importante encontrar um feliz meio-termo. Hoje em dia, minha abordagem é muito mais moderada. E, para falar a verdade, eu me sinto muito mais saudável e meu corpo continua mais ou menos igual. Felizmente, essa mensagem se espalhou também em Hollywood e não vejo mais aquela mania de exercício que tomou conta da indústria do *fitness* há alguns anos.

Atividade Secreta

Um século atrás, a atividade física era necessária para a sobrevivência. Imagine quanta energia era necessária para lavar a roupa, amassar o pão, bater a manteiga, ordenhar a vaca, cortar lenha e andar quilômetros até a venda mais próxima. Hoje, a vida é muito mais fácil. Temos automóveis para nos transportar. Usamos máquinas para lavar e secar a roupa. Andamos de elevador e escada rolante em vez de subir escadas. Não precisamos nem mesmo nos levantar para mudar o canal da televisão. Acho que, se quiséssemos, nem precisaríamos nos mover.

Todas essas conveniências modernas podem ser uma bênção, mas podem também ser uma maldição. Por causa delas, temos que fazer um grande esforço para encaixar a atividade física na nossa vida corrida. Embora um programa formal de exercícios, como o deste livro, seja o modo mais eficaz de queimar calorias e melhorar o nível de condicionamento físico, dá para fazer maravilhas acrescentando mais movimento no dia-a-dia. Chamo isso de atividade secreta e as pesquisas revelam que esses pouquinhos de atividade ajudam a melhorar a saúde, aumentar a energia e eliminar os quilos em excesso.

Para mim, isso se tornou um jogo diário — quantas calorias extras posso queimar me mexendo mais? Há inúmeras oportunidades de se mexer — cabe a você descobri-las. Por exemplo: estacione o carro no fundo do estacionamento. Dê voltas pelo aeroporto enquanto espera o vôo. Suba a escada em vez de pegar o elevador ou a escada rolante. Faça roscas alternadas enquanto espera na fila do banco. Faça *jumping jacks* enquanto a água não ferve. Faça agachamentos enquanto escova os dentes. Levante-se para mudar de canal em vez de usar o controle remoto. Passe o rastelo no quintal. Capine o jardim. Lave o carro. Dê uma volta de bicicleta ou jogue bola com seus filhos. Quando sair à noite, esqueça o tradicional jantar depois do cinema e experimente alguma coisa mais ativa — dançar, jogar boliche ou minigolfe. Seja criativa!

Outra maneira de introduzir furtivamente o exercício em sua vida é tirar férias ativas. Ao menos uma ou duas vezes por ano, planejo um fugida dessas com a minha família. Na última primavera, por exemplo, velejamos em volta de Cuba no Royal Caribbean Cruise, um cruzeiro que oferecia uma ampla variedade de atividades atléticas: esqui aquático, caiaque, patinação aquática, alpinismo e muito mais. Como não sou o tipo de pessoa que gosta de ficar sentada, adorei cada segundo da viagem. Foi uma oportunidade de explorar novos lugares e experimentar atividades diferentes. E o melhor de tudo é que voltei para casa em forma e revigorada! Você pode planejar sua viagem ativa ou fazer uma viagem em grupo. Caminhadas, ciclismo, multiesporte ou ioga: há opções surpreendentes para diferentes interesses, orçamentos e níveis de condicionamento.

Alimentação Saudável

Carboidratos fazem bem. Carboidratos fazem mal. Coma carne vermelha. Não coma carne vermelha. Não use manteiga, mas não use margarina também! Sem dúvida: a questão da nutrição pode confundir qualquer um! Recebemos mensagens conflitantes o tempo inteiro. Como vamos saber o que pôr na boca? E mesmo que nossas intenções sejam boas, estamos cercados por opções alimentares pouco saudáveis e porções gigantescas. É de admirar que tantos norte-americanos estejam lutando para perder peso?

É provável que você esteja frustrada porque já tentou, sem sucesso, todas as dietas que existem sob o sol. Talvez você adore comer e não conseguiu abandonar seus pratos favoritos. Ou simplesmente não conseguiu viver de queijo *cottage* e talos de aipo. Então, vai ficar feliz em saber que, para perder peso, não é preciso se privar de grupos inteiros de alimentos. A alimentação saudável não precisa ser estrita nem complicada e, com certeza, não significa morrer de fome.

Questões de Peso

Há pouco tempo, li *The Partner*, de John Grisham. No livro, o personagem principal perde muito peso para mudar de aparência. Quando um juiz lhe pergunta como conseguiu, ele responde: "É entre as orelhas que se perde peso. Faça a cabeça que o resto é fácil!" É isso o que eu chamo de ficção!

Se emagrecer fosse tão fácil, milhões de norte-americanos não estariam acima do peso. Sou a primeira a admitir que perder alguns quilos, nem que seja só três ou cinco, pode ser difícil e frustrante. Ganhei trinta e seis quilos durante a minha primeira gravidez e foi duro me livrar deles. Levei mais de um ano para voltar ao meu peso de antes. Mas a boa notícia é que perder peso é possível para quase todo mundo. Você pode se livrar desses quilos a mais se estiver disposta a fazer mudanças a longo prazo no estilo de vida — e a ir devagar.

Vemos em toda parte programas e produtos que prometem nos ajudar a perder peso e argumentos loucos a respeito da sua eficácia. Em geral, esses produtos anunciam resultados drásticos — "Perca cinco quilos em quarenta e oito horas!" — e um método que é sempre melhor do que os outros. Segundo algumas estimativas, esse é um negócio de 50 bilhões de dólares por ano. Mas não caia nessa, a menos que deseje eliminar água e goste da sensação de fracasso quando os quilos voltam sorrateiramente.

Não existe uma fórmula secreta para perder peso. Trata-se de um simples jogo numérico. Eis como funciona: meio quilo de gordura corporal corresponde a 3.500 calorias. Então, para perder meio quilo por semana, você tem que criar um déficit semanal de 3.500 calorias, ou 500 calorias por dia. Parece simples, não é? No entanto, para evitar uma queda metabólica importante, você tem que perder esse peso mediante uma combinação de exercício e alimentação saudável. Por exemplo: se consumir 200 calorias a menos por dia, você vai ter um déficit semanal de 1.400 calorias. Queime mais 2.100 calorias por semana, ou 300 por dia, se exercitando, e terá alcançado sua meta.

Para uma perda de peso segura e duradoura, você não pode se propor a perder mais de meio quilo a um quilo por semana. Mais do que isso não é realista e, diante de um programa que oferece resultados mais rápidos, pense duas vezes. Além disso, para evitar uma queda súbita do metabolismo, você não pode ingerir menos de 1.200 calorias por dia. Lembre-se: meses ou anos de ganho de peso não podem ser revertidos em questão de dias!

Perder esses quilos extras vai levar algum tempo. Pode ser que perder peso seja um dos desafios mais difíceis da sua vida, mas vai valer a pena!

A Armadilha da Dieta

Ironicamente, um dos maiores erros que as mulheres cometem ao tentar emagrecer é não comer o suficiente. Embora pareça ilógico, é preciso comer para eliminar permanentemente os quilos a mais. Por quê? Quando você restringe drasticamente as calorias, seu metabolismo fica mais lento para poupar energia — é o modo de o corpo se proteger da inanição. Quanto mais calorias você corta, mais baixo fica o seu RMR. Embora você perca peso no começo, é mais por eliminação de água e deterioração de tecido muscular do que por diminuição de gordura. Assim, logo que retoma os hábitos alimentares de sempre, você recupera o peso que perdeu e até mais, já que seu organismo não está mais queimando calorias com eficiência.

Você pode estar se perguntando sobre as dietas com pouco carboidrato — como Atkins, South Beach e The Zone — que fazem furor em Hollywood atualmente. A verdade é que ainda está em discussão se as dietas com poucos carboidratos são mais eficazes a longo prazo do que as dietas tradicionais com pouca gordura. A rápida perda de peso que esses planos proporcionam se dá porque eles limitam calorias e não graças a alguma fórmula mágica nutricional. E isso se você conseguir seguir um deles! Deve haver gente que consegue viver sem pão, macarrão e cereal, mas eu não consigo. Em geral, logo que você reintroduz carboidratos na dieta, os quilos reaparecem.

Além disso, ainda não há estudos a longo prazo para determinar os potenciais riscos à saúde dessas dietas com altos índices de gorduras e proteínas. As pesquisas já nos mostraram que dietas com muita gordura saturada aumentam o risco de doença cardíaca. E os especialistas temem que uma dieta rica em proteínas animais aumente o risco de osteoporose e problemas renais. Fora isso, ao limitar severamente os carboidratos, você limita também a ingestão de vitaminas, minerais e fibras, que os suplementos não fornecem. Isso pode resultar em deficiências nutricionais, além de letargia, problemas digestivos e mau hálito.

Outras dietas muito conhecidas dizem que é preciso evitar alimentos com "alto índice glicêmico" — ou seja, alimentos que são absorvidos rapidamente para a corrente sangüínea, causando o aumento de açúcar no sangue e o acúmulo de gordura. A lista "Não Coma" dessas dietas inclui banana, melancia, batata-doce, milho e cenoura. Diante dos benefícios à saúde proporcionados por esses alimentos cheios de nutrientes, qualquer dieta que lhe diga para parar de consumi-los deve ser questionada. Você conhece alguém que engordou por comer melancia e cenoura? Acho que não! Embora seja melhor praticar a moderação, não recomendo abolir totalmente esses alimentos. Em vez disso, procure consumi-los com uma pequena quantidade de gordura (como azeite de oliva, óleo de peixe ou laticínios com baixo teor de gordura), que vai tornar mais lenta a absorção dos carboidratos na corrente sangüínea. Por exemplo, coma batata-doce com atum grelhado, melancia com iogurte *light* ou banana fatiada com cereal integral e leite desnatado.

Compreenda o Básico

Parece óbvio, mas vale a pena repetir: o corpo precisa de alimento para funcionar direito. Em nossos esforços para perder peso, muitas vezes ignoramos esse fato básico. Então, imagine que seu corpo é um carro. Sem combustível, o carro não anda. Use o tipo errado de combustível e vai danificar seriamente o motor. A mesma coisa vale para o corpo humano. Se não comer direito, você não terá os nutrientes e a energia de que precisa para se manter saudável e ativa.

Fazendo escolhas alimentares inteligentes, você abastece o corpo, sente-se bem, fica sempre enxuta, em forma e bonita. A boa alimentação aparece. A boa saúde irradia através da pele luminosa e do cabelo brilhante. Se você come mal, logo verá o dano que está causando: pele feia, cabelo sem brilho, unhas quebradiças, falta de energia e quilos a mais.

Tudo o que comemos é feito de várias combinações de três macronutrientes básicos: carboidrato, proteína e gordura. Todos eles são necessários para um corpo saudável. Sem equilíbrio entre carboidratos (de 50 a 55 por cento do total diário de calorias), proteína (de 20 a 25 por cento do total diário de calorias) e gordura (de 20 a 25 por cento do total diário de calorias), o seu corpo não vai ter os elementos de que precisa para funcionar direito e mantê-la saudável e energizada.

Os carboidratos são a principal fonte de energia do corpo — o principal combustível usado pelo cérebro, pelo sistema nervoso e pelos músculos. A família dos carboidratos é formada pelos amidos complexos, encontrados em grãos e pães integrais, legumes e feijões, e pelos açúcares simples, encontrados em frutas frescas, hortaliças e laticínios. Além de fornecer vitaminas, minerais e proteína, os alimentos integrais são fontes vitais de fibras, que dão sensação de saciedade e protegem contra câncer e doenças do coração. A categoria dos carboidratos inclui também os açúcares refinados (como açúcar de mesa e xarope de milho rico em frutose), encontrados em doces, *cookies*, *donuts* e refrigerantes, que proporcionam uma alta momentânea de açúcar, matam a fome na hora, mas não alimentam o corpo e nem geram energia constante. Regra prática: ao incluir carboidratos na dieta, prefira sempre os do tipo natural e nutritivo.

A proteína é o principal material de construção do corpo. É um componente essencial dos músculos, dos ossos, da pele, do sangue, dos órgãos e das glândulas. O corpo precisa dela para desenvolver e reparar tecidos, e para transportar nutrientes para dentro e para fora das células. Como leva mais tempo do que os carboidratos para ser digerida, a proteína ajuda a controlar a fome. Mas não exagere: o excesso de proteína sobrecarrega os rins e pode fazer com que o cálcio seja eliminado do corpo. Para manter a ingestão de gordura sob controle, você deve se ater a fontes animais magras, como carne magra de aves, peixes, frutos do mar, claras de ovo e laticínios desnatados ou semidesnatados. A proteína pode vir também de fontes vegetais, como ervilha, feijão, soja, sementes e castanhas.

Apesar da má reputação, a gordura é vital na geração de energia, da saciedade e da boa saúde em geral. É usada para isolar os tecidos do corpo e transportar vitaminas solúveis em gordura pelo sangue, ajudando também a realçar o sabor dos alimentos. A gordura é digerida ainda mais devagar do que a proteína, fazendo com que você fique satisfeita por mais tempo. Há três tipos de gordura: insaturada, saturada e trans. As gorduras insaturadas, encontradas em óleos vegetais, castanhas, abacates e azeitonas, fazem bem e baixam o nível do colesterol, como se sabe hoje. Por outro lado, as gorduras saturadas (que vêm de fontes animais como carne, aves e laticínios, principalmente creme, leite integral e manteiga) e trans (encontrada em frituras, margarina e alimentos processados feitos de óleos vegetais hidrogenados) elevam o nível do colesterol e põem o coração em risco. *Todas* as gorduras são ricas em calorias. Portanto, a moderação é importante.

Oito Regras Simples para uma Alimentação Saudável

Não acredito em planos alimentares complicados ou restritivos. No meu livro, não há alimentos "bons" e "ruins". Se você vai seguir um programa de alimentação saudável, o melhor é simplificar. Por isso, minha filosofia alimentar é baseada nos princípios de equilíbrio, variedade, moderação e bom senso.

Nas páginas a seguir, resumi minhas regras simples para uma alimentação saudável. Embora eu insista que você faça essas modificações na dieta, não tente incorporá-las todas de uma vez. Fazer uma revisão geral no primeiro dia pode ser demais. É melhor fazer uma ou duas pequenas mudanças por semana. Antes que perceba, você estará comendo melhor, sentindo-se melhor e perdendo peso sem sentir fome.

1. Evite alimentos processados. Na medida do possível, escolha alimentos frescos e integrais, que estejam em seu estado natural, tendo passado por um mínimo de processamento. Procure limitar a ingestão de alimentos altamente refinados, tipicamente vendidos em sacos, caixas e latas, que contêm produtos químicos e outros ingredientes fabricados pelo homem. Além disso, tenha cuidado com o xarope de milho rico em frutose — comumente encontrado em refrigerantes, bolos e refrescos de frutas — que já foi associado ao ganho de peso e à diabete. Seguindo essa regra simples, você vai consumir mais grãos integrais e alimentos do mundo vegetal, que são naturalmente nutritivos e com poucas calorias.
2. Escolha pela cor. Escolha muitas frutas e hortaliças coloridas, como espinafre, brócolis, pimentão vermelho, melão, batata-doce, laranja, ameixa e kiwi. Essas cores vibrantes são sempre acompanhadas de vitaminas e antioxidantes. Crie um arco-íris no seu prato!
3. Coma muitas vezes. Em vez das três refeições tradicionais por dia, divida suas calorias diárias em várias refeições e lanches pequenos (de 200 a 400 calorias cada um), espalhados ao longo do dia. A meta é nunca ficar com muita fome e nem empanturrada. Ao alimentar continuamente o corpo durante o dia, você mantém o metabolismo em alta e evita as quedas do açúcar no sangue, que podem levá-la a comer demais. Além disso, mantém um fluxo constante de energia para todas as atividades.
4. Não pule refeições. Quando pulamos refeições, pulamos também a nutrição. No passado, você podia achar que estava economizando calorias. Mas, como eu já disse, quando você se priva de alimento, seu ritmo metabólico cai e você passa a queimar menos calorias.

Além disso, se ficar sem comer, vai estar faminta algumas horas depois e é provável que exagere em alimentos pouco saudáveis.

5. **Escolha gorduras saudáveis.** A gordura pode e deve fazer parte de uma dieta saudável. O truque é limitar sua ingestão e consumir o tipo certo. Opte por gorduras insaturadas — óleos vegetais, castanhas e abacates — que vêm em geral de fontes vegetais. Limite os alimentos ricos em gorduras saturadas — carne gorda e laticínios — que vêm de fontes animais (exceções: coco e derivados). E fique longe das gorduras trans, derivadas de óleos vegetais hidrogenados e encontradas em frituras, margarina e alimentos empacotados, como bolachas.

6. **Abasteça-se de fibras.** Grãos integrais, frutas frescas, hortaliças, feijões e outros alimentos ricos em fibras aumentam a sensação de saciedade e fazem com que os alimentos passem mais depressa pelo trato digestivo, de modo que menos calorias são absorvidas. Os estudos sugerem também que comer alimentos ricos em fibras solúveis reduz o risco de doenças cardíacas e de câncer. Então, além de

Mundo Molhado

Ainda outro dia — um típico dia escaldante de Los Angeles — a atriz Penelope Ann Miller me ensinou uma boa maneira de beber e dirigir. Sim, você ouviu direito. Ela me disse para ter sempre uma caixa de garrafas de água no porta-malas. Assim, do carro, disse ela, eu não ficaria tentada a comprar um refrigerante ou outra bebida desidratante e com muito açúcar adicionado. Agora, quando paro num *drive-through*, peço só um copo com gelo. Descobri também que é fácil guardar um isopor com gelo no porta-malas.

Os benefícios da água são quase infinitos. Quase 60 por cento do nosso corpo é de água; ela favorece a digestão, a produção de sangue e a respiração, além de ajudar o trânsito dos resíduos sólidos pelo intestino. A água lubrifica as articulações e ajuda a controlar a temperatura do corpo, sendo especialmente importante para quem se exercita sempre. Ainda por cima, ela é um supressor natural do apetite. O ideal é beber de oito a dez copos por dia. Gosto de ter sempre uma garrafinha à mão e ir dando golinhos. Se ficar enjoada de água comum, experimente água com gás, com uma fatia e limão ou com algumas gotas de groselha. Tintim!

satisfazer aqueles acessos de fome, você vai estar cuidando do corpo. Aveia, pães integrais, brócolis, peras, frutinhas vermelhas e lentilhas são ótimas fontes de fibra.

7. **Cuidado com o tamanho das porções.** Vivemos na terra do exagero, e as porções incrivelmente fartas podem ser devastadoras para a cintura. Então, tenha cuidado. Leia os rótulos. Tire do armário seus copos-medida. Reaprenda quanto cereal pôr numa tigela e o tamanho correto de uma porção de frango (o tamanho do *mouse* do computador). Treine-se para pedir porções menores. Aprenda a pedir para levar para casa o que sobrou. Nos restaurantes, você pode até pedir porções tamanho aperitivo, que costumam ser do tamanho de uma porção padrão. E lembre-se: você não tem que limpar o prato!

8. **Limite as bebidas calóricas.** Já percebeu como uma bebida desce depressa, ainda mais quando você está com sede? Se for um refrigerante, um refresco artificial ou um chá gelado, você pode estar engolindo mais calorias do que gostaria de imaginar — e sem benefícios nutricionais. Essas bebidas, assim como os cafés cremosos e incrementados, podem sabotar um plano de perda de peso. Em vez de bebericar calorias vazias, beba água ou alguma bebida que forneça nutrientes, como chá verde, leite desnatado ou suco de frutas frescas diluído em água. Recomendo também a redução das bebidas cafeinadas. A cafeína rouba a água do corpo e remove o cálcio dos ossos. As bebidas alcoólicas também desidratam, além de terem muitas calorias. Então, se quiser beber, não passe de uma dose por dia.

Agora que divulguei minhas regras simples, vou ser sincera. Adoro doces e *junkie food*, como qualquer outra pessoa. Então adotei o que chamo de regra 90/10 por cento. Em noventa por cento do tempo, como realmente bem. Consumo muitas frutas frescas, hortaliças, grãos integrais e proteína magra. Escolho carboidratos complexos, limito os simples e fico atenta à ingestão de gordura. E sempre bebo muita água. Nos outros 10 por cento do tempo, como o que me der vontade, seja um pedaço de *pizza*, um *cookie* de chocolate ou uma Coca *diet*. Seguindo minha regra 90/10, você vai se dar muito bem.

Boa Nutrição na Rua

Se a sua idéia de preparar um jantar é fazer uma reserva no restaurante, você não está sozinha. Em geral, passamos o dia inteiro tão ocupadas que não temos tempo de parar no supermercado, olhar receitas e passar uma hora preparando uma refeição saudável. Para muita gente, comer fora é uma oportunidade de socializar e relaxar. Mas, nas próximas semanas, à medida que for montando um estilo de vida mais saudável, comece a fazer um esforço para preparar mais refeições em casa — essa é a melhor maneira de ficar de olho nas gorduras e nas calorias e incrementar o consumo de frutas, verduras e legumes. Todo domingo, procuro planejar as refeições da sema-

Alimentação Saudável Estilo Hollywood

As principais estrelas de Hollywood contam sempre com uma ajuda para comer bem. No *set* de filmagem, há profissionais encarregados de providenciar alimentos nutritivos enquanto as câmeras rodam. Fora do *set*, muitas estrelas contratam *chefs* pessoais para ajudá-las a planejar refeições que priorizam a saúde ou jantam em restaurantes que atendem a apetites saudáveis. Infelizmente, eu e você estamos por conta própria. É por isso que pedi a quatro dos maiores *chefs* de Hollywood — Carrie Wiatt, Hollis Wilder, Jamie Oliver (antes conhecido como Naked Chef) e Wolfgang Puck — para partilhar algumas receitas e ajudá-la a começar. Carrie, nutricionista e autora do livro *Portion Savvy*, trabalhou com uma longa lista de figuras importantes de Hollywood, como Sela Ward, Salma Hayek, Alfre Woodard e Neve Campbell. *Chef* particular por dez anos, Hollis, que freqüenta minhas aulas de *fitness* em Hidden Hills, trabalhou nos *sets* de *Will & Grace, Good Morning Miami* e *Boston Common*. Jamie Oliver, dono do Fifteen Restaurant, em Londres, tem o próprio programa de TV, *Oliver's Twist*, na The Food Network, e escreveu três livros de sucesso sobre culinária. E todo mundo conhece Wolfgang, uma usina culinária: ele é sócio dos melhores lugares para se comer em Los Angeles, autor de cinco livros de culinária e estrela de dois programas (*Wolfgang Puck* e *Wolfgang Puck's Cooking Class*) na The Food Network. Você vai encontrar as receitas desses *chefs* espalhadas pelo livro, além de algumas de minhas receitas favoritas. Elas são um complemento perfeito para os exercícios deste livro e vão lhe dar grandes idéias para refeições que podem ajudá-la a atingir suas metas de perda de peso. *Bon appétit!*

na e fazer as compras, de modo que minha geladeira fique abastecida de alimentos nutritivos. É claro que vez ou outra eu como alguma coisa na rua. Mesmo assim, quase sempre é possível encontrar opções alimentares saudáveis. As dicas de sobrevivência a seguir vão ajudá-la a evitar escolhas desfavoráveis e calorias desnecessárias, esteja onde estiver.

Restaurantes

Ao pedir um prato, prefira as refeições simples, como peixe ou ave com arroz e legumes, em vez de pratos com muitos ingredientes, como lasanha e *casseroles*. Para manter a gordura e as calorias sob controle, escolha sempre carne grelhada em vez de frita e verduras e legumes. Peça para trazerem molhos e temperos separados da comida. E para não servirem acompanhamentos supercalóricos, como purê de batatas ou batatas fritas. Lembre-se: num restaurante, é você quem manda. A maioria dos *chefs* prepara a comida conforme o pedido. Então, se não encontrar uma opção adequada no cardápio, não hesite em pedir outra coisa. Se ficar com vergonha, conte uma mentirinha inofensiva (por exemplo: "Tenho intolerância à lactose. Será que dá para usar óleo de oliva em vez de manteiga?"). Informe-se sobre o tamanho das porções antes de fazer o pedido. Quando as porções são grandes, dispense o cardápio de entradas ou peça para embrulharem metade para você levar para casa. E passe reto pela cesta de pães e *tortillas* no seu restaurante mexicano favorito.

Fast-Food

Quando você está na estrada ou com muita pressa, o *drive-through* é, às vezes, a única opção. Felizmente, um número cada vez maior de restaurantes de *fast-food* está oferecendo alternativas mais saudáveis. O McDonald's, por exemplo, introduziu recentemente nos Estados Unidos a Go Active! Happy Meal, que inclui uma salada, uma garrafinha de água e um pedômetro. Outra grande opção é o sanduíche Chicken McGrill. O Burger King tem o Savory Mustard Fire-Grilled Chicken Baguette. O Subway oferece várias saladas com temperos *light*. A Pizza Hut tem agora *pizzas* de massa fina — mas dispense a lingüiça calabresa e o queijo extra. O Taco Bell tem o cardápio "Fresco Style". Até a KFC tem opções de frango sem pele. Como regra geral, peça tamanho pequeno ou médio e evite qualquer coisa rotulada de Duplo, Deluxe, Super, Extra, Combo ou Jumbo. Se pedir um sanduíche, dispense a maionese, o molho especial, o queijo e outros acompanhamentos gordurosos. Se pedir uma salada, fique atenta ao molho. E, é claro, evite qualquer fritura.

Cinemas

O *snack-bar* do cinema pode provocar um desastre alimentar se você não tomar cuidado. A melhor idéia é comer antes de sair de casa ou levar um lanchinho saudável, para não ficar tentada a se empanturrar de besteiras. Se precisar mordiscar, escolha o menor saco de pipoca (nem que for uma embalagem para crianças) e deixe a manteiga para lá. Se a loja de doces do cinema vende doces por peso, pegue um saquinho e use o bom senso para escolher seu doce, atenta à quantidade de gordura e açúcar. Se estiver louca por um chocolate, escolha uma barrinha pequena. Muitos cinemas oferecem água em garrafa — sempre a melhor opção de bebida.

Festas

Se chegar a uma festa morrendo de fome, é quase certo que vai comer demais. Então, faça um lanchinho nutritivo antes de sair de casa. Procure escolher alguma coisa que contenha fibra, proteína e gordura saudável, como manteiga de amendoim e meia maçã, peito de peru fatiado e uma fatia de pão integral, uma xícara de sopa de galinha com baixo teor de sódio, queijo magro e torradas integrais. Isso vai impedir que você engula um monte de aperitivos salgados e gordurosos ou que ataque a mesa do bufê. Vai evitar também que fique tonta com uma taça de vinho e enfraqueça sua decisão de comer de modo saudável!

Para Evitar Comilanças

Como já disse, ao fazer refeições menores e mais freqüentes, e consumindo alimentos ricos em fibras, você vai ficar mais satisfeita e manter a fome sob controle. Mas, muitas vezes, comer demais é uma função do estado de espírito, mais do que da necessidade de nutrição. *Stress*, tédio, raiva e solidão são propulsores emocionais comuns da superindulgência. Para piorar as coisas, as tentações estão em toda parte, sendo muito fácil mergulhar num bolo de chocolate ou devorar um pacote inteiro de bolachas. O que fazer? Adote estas estratégias:

- **Pense duas vezes.** Faça-se algumas perguntas antes de engolir todas as guloseimas que vê pela frente. Você está mesmo com fome? Ou está comendo por frustração, raiva, aborrecimento ou solidão? Identificar a causa dessas vontades ajuda a controlar o impulso de comer. E leva a uma melhor compreensão de sentimentos que podem ter sabotado tentativas anteriores de perder peso.

Construa Massa Óssea com Cálcio

Beba o leite! Quantas vezes ouvimos isso quando crianças? E nossos pais estavam certos! O cálcio encontrado no leite e seus derivados ajuda a fortalecer os ossos. Ingerir cálcio em quantidade suficiente não é um imperativo apenas quando estamos crescendo, mas também à medida que vamos ficando mais velhas. Depois dos trinta e cinco anos, os ossos começam a perder sua densidade, especialmente na menopausa e depois dela. Ao consumir pelo menos de 1.000 a 1.300 miligramas de cálcio por dia, podemos tornar mais lenta a perda óssea e evitar a osteoporose que aflige tantas mulheres. Além disso, estudos recentes sugerem que uma alta ingestão de cálcio, especialmente de laticínios com baixo teor de gordura, ajuda a perder peso! Os pesquisadores acreditam que o cálcio armazenado nas células adiposas favorece a queima de gordura. Num estudo de vinte e quatro semanas, publicado no *American Journal for Clinical Nutrition*, as pessoas que consumiram três a quatro porções diárias de laticínios magros perderam 10.9 por cento de peso corporal e as que tomaram suplementos de cálcio perderam 8.1 por cento; outras, com baixa ingestão de cálcio, perderam apenas 6.4 por cento. Se você tem intolerância à lactose, experimente consumir mais leite de soja enriquecido com cálcio, suco de laranja, cereais, verduras de folhas escuras e sardinhas.

Lanches de Estrelas

A atriz Julianne Phillips, que estrelou o seriado *Sisters*, costumava pôr uma batata-doce do forno antes da nossa sessão de exercícios. Dava para sentir o cheiro da batata assando enquanto treinávamos. Ela dizia que sabia que ia estar com fome depois da sessão e, assim, teria um lanche à mão. Quando acabávamos, a batata estava pronta. Pode ser mais fácil e nutritivo? As batatas-doces satisfazem, são ricas em betacaroteno e fibra, além de deliciosas. Ponha uma em forno médio, por 35 a 55 minutos, dependendo do tamanho. Ela vai matar a sua fome até a refeição seguinte e mantê-la longe de guloseimas gordurosas e açucaradas.

- **Tenha à mão lanches saudáveis.** Abasteça a geladeira e a despensa com coisinhas nutritivas, como cenourinhas, talos de aipo, iogurte, pipoca sem manteiga, peito de peru fatiado, homus, bolachas integrais e frutas frescas. Além disso, guarde sempre na bolsa, no carro e no trabalho, um suprimento de petiscos: frutas secas, grãos de soja torrados, pretzels de aveia, cereal integral.
- **Sente-se para comer.** Assim, você vai ser obrigada a se concentrar na refeição e não nas dez outras coisas que está tentando fazer ao mesmo tempo. Com isso, vai ficar mais satisfeita — fisicamente e mentalmente.
- **Coma devagar.** Tente baixar o garfo e contar até dez antes de cada mordida. Isso vai ajudá-la a ir mais devagar, de modo que o cérebro tenha uma chance de avisar o estômago que você já comeu o suficiente.
- **Satisfaça suas vontades.** Em vez de ignorar suas vontades (o que em geral tem efeito contrário), procure satisfazê-las de maneira moderada. É melhor satisfazer a vontade de tomar sorvete com uma casquinha de uma bola do que com uma embalagem de 2 litros.
- **Não coma tarde da noite.** A noite é especial para comer com insensatez. Para manter a gordura e as calorias sob controle, limite os aperitivos de antes do jantar a alimentos leves e nutritivos, como vegetais crus com molho. Para não ficar comendo depois do jantar, levante-se logo que acabar de comer e escove os dentes, masque chiclete ou tome um chá de ervas.

Receita para um Estilo de Vida Saudável

Exercício e boa alimentação são dois passos importantes em direção a um corpo melhor. Mas não são os únicos! As regras a seguir vão ajudá-la a completar sua jornada pela estrada do estilo de vida saudável:

Durma bastante. Um corpo saudável exige repouso na medida certa. Ao se privar de sono, você fica cansada, letárgica e irritada. A pele fica opaca. Você pode achar que está casada demais para se exercitar. Essa fadiga costuma levar a más escolhas alimentares porque, na tentativa de espantá-la, você tende a recorrer a fontes não naturais de energia, como cafeína e doces.

Limite o álcool. Cerveja, vinho e coquetéis são altamente calóricos. Em geral, associamos calorias a comida e esquecemos as que vêm com a bebida. Li recentemente que uma margarita de tamanho médio tem 500 calorias! E, como diminui suas inibições, o álcool pode levá-la a comer demais. Embora alguns estudos revelem que um *drink* por dia pode trazer benefícios à saúde, mais do que isso aumenta o risco de doenças cardíacas e de câncer de mama. Então, se quiser mesmo levantar o copo, atenha-se a uma cerveja *light* ou a um copo de vinho tinto ou frisante.

Minimize o *stress*. O *stress* crônico pode ser tóxico. Ele enfraquece o sistema imunológico e leva a problemas sérios, como hipertensão, arteriosclerose, colite e depressão. As pesquisas apontam também uma relação entre *stress*, exagero à mesa e ganho de peso. Por outro lado, o exercício é uma das maneiras mais eficazes de reduzir o nível de *stress*. A companhia dos amigos, a música, a meditação e a respiração profunda também ajudam.

Não fume. Fumar pode parecer *sexy* na tela do cinema, mas é uma das piores coisas que você pode fazer ao seu corpo. Segundo os Centers for Disease Control and Prevention (CDC), o cigarro causa cerca de 400.000 mortes por ano nos Estados Unidos, sendo assim a maior causa evitável de morte prematura. Mulheres que fumam correm um risco doze vezes maior de morrer de câncer de pulmão e três vezes maior de morrer de doença cardíaca. Quem fuma tem também uma alta probabilidade de desenvolver enfisema, catarata e osteoporose — para não falar das rugas, dos dentes escuros e do mau hálito.

Pesando a Balança

Sempre me perguntam se minhas clientes famosas perderam muito peso. Embora os números que a balança mostra sejam importantes para muita gente, não é neles que eu me concentro. Em primeiro lugar, eles não me contam como os treinos fazem você se sentir. Em segundo lugar, não são uma medida precisa de seu nível de condicionamento físico e de sua composição corporal.

Como já expliquei, músculo pesa mais do que gordura. Então, quando você perde gordura e ganha músculo, o peso pode não mudar muito. Mas você está ficando mais enxuta, mais firme e com a saúde melhor. Como o corpo é composto basicamente de água, a quantidade que você bebe e transpira também faz o peso flutuar ao longo do dia. Guiando-se apenas pela balança, você nunca vai ter uma idéia exata do progresso que está fazendo.

Muitas das minhas clientes, incluindo Michelle Pfeiffer, disseram adeus à balança. Como diz Michelle, para que subir na balança e estragar o dia? Concordo com ela. Siga o exemplo de Michelle e, em vez de se pesar, fique atenta às suas roupas. Se o *jeans* está mais folgado, você está no caminho certo. Se está mais justo, fique atenta.

Mas, se você é viciada em números, faça um teste de gordura corporal. Esse teste leva em conta a composição do corpo, concentrando-se na proporção entre massa magra e gordura. O teste é simples, feito com um "adipômetro" que belisca a parte de trás do braço, da coxa e do quadril. As medidas são então introduzidas numa fórmula para determinar o índice de gordura corporal. Você pode ir anotando os resultados para medir o seu progresso.

Aceite o seu Tipo

Muitas vezes me perguntam: "Se eu fizer esses exercícios vou ficar como a Michelle Pfeiffer ou a Jennifer Aniston?" Desculpe, mas a resposta é não. Os genes têm um papel importante na constituição física e é impossível combatê-los. Há mulheres com forma de pêra, algumas são naturalmente magras, outras cheias de curvas, algumas altas e outras miudinhas. Comendo direito e se exercitando, você vai melhorar significativamente o que tem, mas não vai tornar o seu corpo parecido com o de outra pessoa.

A beleza tem todas as formas e tamanhos, e um dos passos mais importantes para você ter o corpo que deseja é a auto-aceitação. Dito isso, sei que nem sempre é fácil gostar do físico que temos. Todos os dias, somos bombardeadas com imagens de celebridades perfeitas sob todos os aspectos. Algumas parecem não ter nenhuma grama de gordura no corpo. Outras têm curvas *sexy*, mas nada de celulite. Essas mulheres são de verdade? Será que dá para ser assim?

É hora de revelar outro segredinho de Hollywood. Muitas das fotos perfeitas que você vê nas revistas são digitalmente alteradas para remover manchas e imperfeições. Além disso, maquiadores e cabeleireiros passam horas fazendo a sua mágica. Não que essas estrelas não sejam deslumbrantes sem a ajuda do computador. Mas não pense que elas não têm defeitos. Acredite em mim: *ninguém* é daquele jeito quando acorda de manhã!

Até mesmo as minhas clientes famosas são inseguras com relação ao corpo que têm. Estão sempre achando que precisam aumentar aqui, diminuir ali. Têm medo de não conseguir um determinado papel se não estiverem absolutamente deslumbrantes. A expressão "tapete vermelho" aterroriza a maioria delas, já que significa o escrutínio de milhões, sem falar de Joan Rivers, a apresentadora implacável de *Fashion Policy*, do E! Entertainment Television. Isso deixa qualquer um inseguro.

Confesso: quando comecei a trabalhar como *personal trainer* em Hollywood, vivia angustiada com o meu corpo. Los Angeles é a terra da beleza e em todo canto há mulheres magras e loiras, parecidas com a Barbie. Eu era enxuta e tonificada, mas me achava grande, especialmente perto de algumas atrizes minúsculas com quem estava trabalhando. Meu namorado da época dizia que adorava o meu corpo. Mas nem isso ajudava. Quando olhava no espelho, eu só conseguia enxergar meus ombros largos e minhas pernas musculosas.

Finalmente, depois de alguns anos, consegui brecar o ciclo de descontentamento. Levou algum tempo, mas parei de ficar imaginando como eu "deveria" ser. Entendi que não importa o que as outras pessoas pensam de mim, desde que eu me sinta bem comigo mesma. Cansei de ficar me atormentando por dentro. Cansei da comparação constante e de viver desesperada por me achar diferente de minhas clientes glamourosas. Essa falta de confiança em mim mesma era exaustiva. Hoje em dia, estou muito mais em paz com o meu corpo. Acho que isso tem a ver com o fato de ter me tornado mãe. Não fico mais angustiada, imaginando como vou ficar de maiô.

Agora, acho mais importante ser forte, saudável e ter energia para brincar de pegador com meus filhos.

A começar de hoje, quero que você faça uma coisa que — no contexto deste livro — parece contraditória: quero que abandone a mentalidade "quero parecer com ela". As celebridades apresentadas neste livro são mulheres lindas e saudáveis, cujo hábito de praticar atividades físicas vale a pena imitar. Mas você não deve se comparar com elas. Essa comparação não adianta nada, além de trazer frustração, desespero e baixar a auto-estima. É muito mais importante ficar atenta às suas conquistas à medida que formos trabalhando juntas nestas semanas. Observe o brilho em seus olhos e a cor do seu rosto. Sinta como são *sexy* os músculos que começam a aparecer nos seus braços e nas suas pernas. E, mais importante ainda, perceba como se sente melhor consigo mesma.

Cena Final

Na busca por um corpo melhor, somos nós mesmas o nosso maior inimigo. Não, não estou falando de falta de força de vontade. Estou falando da pressão que nos impomos ao querer atingir a perfeição. Queremos que toda a gordura do corpo desapareça em uma semana. Se comemos uma fatia de bolo ou se perdemos uma sessão de exercícios, nós nos sentimos fracassadas. Ficamos deprimidas por não ser como as supermodelos ou as estrelas de cinema.

Antes de começar, quero lembrar-lhe de que ter expectativas realistas é essencial para o sucesso. A mudança não acontece de um dia para o outro. Você não pode esperar que o excesso de peso suma de repente. Seja paciente! Você está transformando sua maneira de comer e de se exercitar, mas é preciso dar um passo por vez. Este plano de dieta e exercício traz uma transformação no estilo de vida e não resultados rapidinhos. Não há "antes" e "depois".

Ao embarcar neste estilo de vida novo e saudável, é importante manter-se confiante. Acreditando que vai ter sucesso, você tem uma probabilidade muito maior de fazer uma mudança duradoura. Não estou dizendo que a transição para um programa regular de exercícios e uma dieta saudável seja fácil. Vai ser mais fácil em alguns dias e mais difícil em outros. Então, faça o melhor possível. Se escorregar, procure aprender com o erro e se concentrar no passo seguinte. A boa forma exige muito trabalho, mas *realmente* compensa no final.

Lembre-se: o que você vê no espelho é muito menos importante do que o que você sente por dentro. A felicidade que vem de dentro produz um brilho imbatível! Então, não fique remoendo seus defeitos ou desejando ser como uma modelo de maiô. Aceite o que não é possível mudar e trabalhe para mudar o que é possível. Em vez de lutar pela perfeição, trabalhe para ficar confortável na sua pele e para conquistar a melhor forma da sua vida!

CAPÍTULO DOIS

Cena de Abertura
... ou, Vamos Começar!

Nestes mais de vinte anos trabalhando como personal *trainer*, sempre gostei de ajudar as pessoas a mudar o corpo e a vida por meio da atividade física. Nada me faz mais feliz do que ver a transformação das minhas clientes — de mulheres cansadas e desvitalizadas em mulheres positivas, energizadas e em forma. Seja a minha cliente uma atriz ganhadora do Oscar, uma supermodelo ou uma das minhas vizinhas, é sempre gratificante observar sua confiança crescer a cada nova conquista.

Gostamos de sentir que estamos bem, seja no tapete vermelho ou no corredor do supermercado, indo para uma entrevista de emprego ou para o

Programação Semanal

Segunda: Condicionamento de Supermodelo para a Parte Inferior do Corpo (55 minutos)

Terça: Programa de Exercícios da Rachel para Deixar a Parte Superior do Corpo *Super sexy* (25 minutos) mais Bônus — O Incrível Programa Abdominal (5 minutos)

Quarta: O Programa de Exercícios de Hidden Hills (25 minutos)

Quinta: Programa de Exercícios para as Pernas de uma Linda Mulher (25 minutos), mais Bônus — O Incrível Programa Abdominal (5 minutos)

Sexta: Programa Militar de Exercícios das Panteras (50 minutos)

Sábado e Domingo: Bônus — O Incrível Programa Abdominal (5 minutos)

set de filmagem. Mesmo que não esteja posando para uma câmera ou sendo perseguida por *paparazzi*, você merece estar na sua melhor forma em todas as ocasiões. Nas páginas a seguir, você vai conhecer os exercícios de Hollywood que a ajudarão a construir um corpo enxuto, firme e saudável. Com o meu plano semanal, você vai minimizar a flacidez, tonificar as partes mais problemáticas e melhorar a postura, a coordenação e o equilíbrio. Vai sentir também os benefícios que chamo de "cobertura do bolo" — mais energia, auto-estima mais alta e atitude mais positiva.

O melhor é que você pode conseguir isso tudo em menos de uma hora por dia, cinco a seis dias por semana. Confie em mim! Minhas clientes famosas têm horários malucos como os seus e não querem treinar nem um minuto a mais do que o necessário. Assim, adaptei estas rotinas para que ofereçam o máximo de resultados com um mínimo de esforço. Alguns dos treinos são mais longos — 50 a 55 minutos — outros são mais curtos: 25 minutos. Somando tudo, você fará cerca de três horas e meia de exercícios por semana — uma média de 30 minutos por dia. Não é tão ruim!

Como Este Programa Funciona

Os cinco treinos inovadores dos Capítulos 4 a 8 formarão a base do plano semanal. Cada treino inclui exercícios para esculpir o corpo e rotinas de cárdio para queimar calorias, que usei com Claudia Schiffer, Jennifer Aniston, Julia Roberts, Drew Barrymore e outras clientes famosas. No Capítulo 9, você vai encontrar exercícios abdominais arrasadores que fiz com a supermodelo Cindy Crawford. Esse treino deve ser incorporado ao programa três vezes por semana. Junte tudo e você terá uma semana de exercícios projetados para fortalecer e modelar seu corpo da cabeça aos pés.

Na página 47, organizei uma programação. Mas você pode criar um esquema personalizado, selecionando treinos que coincidam com o seu horário, com o seu humor e nível de energia. Por exemplo: se você tem aulas na quarta-feira à noite, mude a série da quarta-feira para o sábado. Se terça-feira é o seu dia de folga, empurre a série de terça para domingo e aproveite o seu dia livre fazendo uma atividade que adora. Mudar a ordem dos treinos não prejudica o seu sucesso. O mais importante é criar uma programação que funcione para você.

Se você é parecida com as celebridades com quem trabalho, vai ficar enjoada de repetir a mesma rotina vezes e vezes seguidas. Essa é uma das razões pelas quais incluí tanta variedade nesse programa de uma semana.

Ao fazer uma ampla gama de exercícios e atividades, você vai forçar o corpo a trabalhar mais e a ativar mais músculos, para uma maior queima calórica e um melhor condicionamento geral. É o que chamo de abordagem "bufê" à atividade física — mas não se preocupe, você não vai ganhar nenhum grama! Ao contrário: você vai ver seu corpo adquirir uma nova forma, com músculos tonificados e esculpidos.

Cada treino de força começa com um breve aquecimento e termina com alongamentos que favorecem o desaquecimento. Para reduzir o risco de lesões, é essencial que os músculos, ligamentos e tendões estejam aquecidos antes do início do treino. Alongar no final do treino ajuda a manter os músculos flexíveis e acelera a sua recuperação. Como já disse, algumas pesquisas sugerem que alongar acelera a produção de força e de massa muscular — e quanto mais depressa você aumentar a sua massa muscular, mais depressa vai elevar o seu metabolismo. Resultado final: melhor tônus muscular e menos gordura corporal.

Este programa semanal é dirigido a quem se exercita regularmente. Se o seu último treino foi há mais de um mês — seja porque se machucou, teve um bebê ou nunca mais se mexeu depois da última aula de educação física no colégio — você precisa começar devagar. É aí que entra o Programa de Exercícios para Começar com Tudo de Manhã, do Capítulo 3. Inspirado por Michelle Pfeiffer, minha cliente de muito tempo, esse plano de duas semanas é projetado para ajudá-la a produzir força e resistência, gradualmente e com segurança. Ele inclui treino de cárdio e treino de força, que devem ser feitos três vezes por semana cada um. Depois de completar esse programa básico, você estará pronta para passar ao programa principal.

Se você está começando um programa de exercícios pela primeira vez ou saindo de uma longa pausa, é bom falar com o seu médico antes de começar. Como regra geral, recomendo uma visita ao médico pelo menos uma vez por ano para fazer uma avaliação básica. Mesmo que esteja se sentindo bem, é importante medir o nível de colesterol, a pressão sangüínea e os níveis de açúcar para descartar doenças cardíacas, diabete e outros problemas sérios. Além disso, é bom discutir com o médico o histórico de saúde da sua família e quaisquer sintomas estranhos que estiver sentindo. Então, use esta recomendação como o estímulo de que precisava para marcar uma consulta!

Se no início você sentir falta de coordenação e dificuldade para fazer as rotinas de exercícios, não desanime! Sempre que experimentamos alguma coisa nova, o corpo leva algum tempo para se ajustar. Minhas clientes famosas também têm dificuldade para fazer todos os movimentos juntos no início.

Mas, à medida que a força, o equilíbrio e a agilidade aumentam, o treino de cárdio e o de força ficam mais fáceis — eu juro. Aos poucos, você não vai mais se achar uma iniciante desajeitada, mas quase uma profissional. E logo vai descobrir um senso de equilíbrio e agilidade que nem sabia que tinha.

Os treinos devem ser puxados, mas não a ponto de você se machucar ou de odiar cada minuto dele. Então, fique atenta ao seu corpo. Ele pode estar lhe dizendo para ir mais devagar ou para usar *dumbbells* (pesos) mais leves. No início, você pode sentir que é demais treinar cinco dias por semana. Nesse caso, reduza para três ou quatro até estar pronta para mais. Procure descobrir aquele ponto entre "difícil demais" e "não tão difícil". Se o vapor acabar antes do fim do treino de cárdio, não faz mal. Faça o melhor possível e procure fazer ainda melhor na outra vez. Caso sinta dor, pare imediatamente. Consulte o médico se tiver uma dor que dure mais do que alguns dias.

Em qualquer plano de exercícios, a flexibilidade é essencial para o sucesso. Os treinos que programei para você já estão estruturados, mas fique à vontade para adaptá-los às suas necessidades. Por exemplo: se tem limitações de tempo, você pode dividir os treinos em sessões mais curtas e fazê-las em diferentes momentos do dia. Em vez de 30 minutos de cárdio, você pode fazer metade de manhã e metade antes do jantar. Pode dividir também uma rotina de força de 25 minutos em 5 segmentos de 5 minutos. Quando se trata de queimar calorias e melhorar a forma, esses pouquinhos de atividade fazem muita diferença!

Antes de começar, estude seus horários para determinar o melhor período do dia para se exercitar. É bom treinar na mesma hora todos os dias porque isso cria uma rotina. Se você trabalha mas não tem que estar no escritório antes das nove, as primeiras horas da manhã são a melhor escolha. Se de manhã você tem que aprontar seus filhos para a escola, o fim da manhã ou o começo da tarde podem ser escolhas mais realistas. Não há resposta certa ou errada quando se trata da hora de se exercitar. O importante é escolher um horário e mantê-lo.

Seguindo este programa com regularidade, em oito ou doze semanas você vai perceber que sua força, capacidade aeróbica e composição corporal melhoraram acentuadamente. Como cada corpo reage ao exercício de maneira diferente, há pessoas que têm resultados mais rápidos. Mas o importante é que não vai demorar para você sentir mudanças em sua atitude, humor, confiança, padrões de sono e bem-estar geral.

Carpaccio de Filé com Beterrabas Assadas, Pasta de Raiz-Forte, Agrião e Queijo Parmesão

Adotar um estilo de vida saudável não significa dizer adeus a refeições especiais. Aqui, meu colega do programa *Today*, Jamie Oliver, também conhecido como Naked Chef, criou uma receita para uma refeição nutritiva tão rica e suculenta que você vai enganar seus convidados, fazendo-os acreditar que ela é totalmente pecaminosa. Na verdade, o filé é um dos cortes de carne mais magros e ricos em proteínas. Acrescente beterrabas — excelente fonte de cálcio, ferro e betacaroteno — e o toque estimulante da raiz-forte, e terá uma refeição saudável e magnífica.

Faz 4 porções

1 quilo de beterrabas bem pequenas
Azeite de oliva
10 colheres de sopa de vinagre balsâmico
Sal e pimenta-do-reino moída na hora

1 colher de sopa bem cheia de grãos de coentro amassados
1 punhado de alecrim fresco, cortado bem fino
Sal e pimenta-do-reino moída na hora
Uma pitadinha de orégano seco
1 quilo de filé

50 gramas de pasta de raiz-forte
200 gramas de *crème fraîche*
Algumas gotas de vinagre de vinho branco ou suco de 1 limão
3 bons punhados de agrião
50 gramas de queijo parmesão ralado

Pré-aqueça o forno a 250°

Beterrabas: Lave e raspe as beterrabas, corte as pontas, ponha numa forma com um pouco de azeite de oliva, vinagre balsâmico, sal e pimenta. Cubra com papel de alumínio e leve ao forno, até que fiquem macias. O tempo de cozimento depende do tamanho.

Carne: Triture os grãos de coentro num pilão, depois misture o alecrim, o sal, a pimenta e o orégano e espalhe numa tábua. Role e pressione o filé sobre essa mistura. Numa frigideira muito quente, com o fundo canaletado, ou numa grelha, toste a carne por uns 5 minutos, até que fique dourada e levemente torrada de todos os lados. Tire da frigideira. Deixe descansar por 5 minutos e depois corte em fatias bem finas. Arrume as fatias numa travessa grande.

Depois de preparar a carne, espalhe sobre elas as beterrabas assadas (inteiras, cortadas pela metade ou em quatro pedaços, dependendo do tamanho). Numa tigela média, misture a raiz-forte e o *crème fraîche*. Tempere com um pouquinho de vinho branco ou suco de limão. Escorra a mistura sobre as beterrabas. Tempere o agrião com azeite de oliva e suco de limão. Espalhe, junto com o queijo parmesão, sobre a travessa e prepare-se para se deliciar!

Como eu já disse muitas vezes, isto é uma mudança de estilo de vida e não um esquema de eficácia momentânea. Então, nem pense em treinar como louca durante um mês e depois deixar o livro na estante juntando poeira. Já vi transformações físicas e psicológicas notáveis nas minhas clientes, mas só nas que são fiéis aos treinos. Sem persistência, dificilmente você obterá todos os benefícios que mencionei. Cabe a você se comprometer e fazer da boa forma uma prioridade.

Como discutimos no capítulo anterior, exercício e alimentação saudável andam de mãos dadas quando se trata de conseguir resultados visíveis. Se sua dieta consiste em *hot-dogs*, *donuts* e *cappucinos* cremosos, sua melhora não vai ser tão grande como se também cuidasse da alimentação. E também não vai ser tão grande se você fizer boas escolhas alimentares mas mesmo assim comer demais. Se é esse o seu caso, agora é o momento de fazer a transição para porções de tamanho adequado. A boa nutrição e o controle das porções são pontos cruciais quando se trata de criar um déficit calórico e emagrecer.

Para o máximo de benefícios, procure também se manter ativa durante o dia inteiro. Como expliquei no Capítulo 1, quanto mais você se mexer, mais calorias o seu corpo vai queimar, mais energia você vai ter e mais feliz e saudável você será. Durante a semana, você pode introduzir mais atividade no seu dia, andando mais, subindo escadas ou simplesmente alongando. Os fins de semana são uma oportunidade maravilhosa para experimentar novas atividades recreativas — ou retomar alguma atividade de que você gostava. Dê uma volta de bicicleta. Jogue dezoito buracos de golfe (sem carrinho, por favor!). Vá nadar. Experimente esqui aquático ou *snowboarding*. Use sua boa forma recém-descoberta para explorar uma trilha ou para participar de uma corrida de rua. Faça o que quiser — mas faça!

Você está pronta para começar a se mexer? Eu estou! Agora, algumas coisas que você vai precisar para começar...

Sua Caixa de Ferramentas da Boa Forma

Segue-se uma lista de ferramentas baratas, mas eficazes, que você vai precisar nos treinos. É provável que algumas delas você já tenha em casa. O resto tem à venda em qualquer loja de material esportivo, grandes supermercados ou em distribuidores de artigos esportivos. Se estiver com o orçamento apertado, procure equipamentos usados em anúncios de jornal ou em páginas de compras na Internet.

Corda de pular: Pular corda é um dos meus treinos cardiovasculares preferidos. Além de queimar muitas calorias, é ótimo para tonificar os glúteos, as pernas, os braços e os ombros. Minha corda de pular favorita, chamada *Animal*, custa cerca de U$25.

***Dumbbells*:** Para ficar mais forte, com o corpo tonificado e esculpido de minhas clientes famosas, você precisa fazer exercícios de resistência para exigir mais dos músculos. Em alguns treinos de força, você vai usar o peso do corpo como resistência. Em outros, vai precisar de três pares de *dumbbells* (pesos), de 1, 2, e 4 quilos. Em geral, os *dumbbells* custam de U$10 a U$25 o par, dependendo do tamanho e do material. Embora você possa usar garrafas, latas de ervilha ou outros itens domésticos, recomendo com veemência que invista num conjunto de *dumbbells*. É um preço pequeno a pagar por um corpo forte e enxuto!

Bola Suíça: Em alguns dos exercícios de força deste programa, você vai se sentar ou deitar numa bola grande, conhecida também como bola suíça ou fisiobol. Você já deve ter visto essas bolas infláveis que parecem versões gigantes das bolas que tínhamos quando crianças. Ao fazer os exercícios numa superfície instável, você fortalece os músculos centrais (abdômen e costas), melhorando o equilíbrio, a agilidade e a postura. Uma bola suíça é multifuncional, fácil de guardar e custa de U$20 a U$30. Você deve escolher o tamanho da bola de acordo com a sua altura. (Sentada na bola, seus joelhos devem formar um ângulo de mais ou menos 90 graus.) Se você tem entre 1,52 m e 1,73 m, precisa de uma bola de 55 cm. Se tem mais de 1,73 m, escolha uma bola de 65 cm. Se tiver menos de 1,52 m, uma de 45 cm. Ao comprar a bola, verifique se é feita de material que não estoura. Para os exercícios, ela tem que estar totalmente inflada.

Bola de tamanho médio: Serve qualquer tipo de bola leve, como bola de basquete, de futebol, de vôlei ou uma bola pequena de praia.

Relógio com *timer*: Todos os treinos cardiovasculares deste programa são compostos de intervalos com duração determinada. Para medir os tempos, recomendo usar um relógio esportivo digital, como o Women's Timex Ironman Triathlon Digital Watch, que custa cerca de U$50. Você pode usar também um cronômetro, como o da Sportline, que custa menos de U$20. Numa emergência, serve qualquer relógio com ponteiro de segundos.

Cadeira firme: Nos exercícios que pedem uma cadeira, você pode usar qualquer cadeira, de cozinha ou sala de jantar, que seja firme, sem braços e com um encosto em que dê para se apoiar.

Cesto de lixo: Se não tiver um cesto de lixo, use um cesto de roupas, uma caixa de tamanho médio ou uma pilha de toalhas.

Toalha pequena.

Fita adesiva opaca.

Baralho.

Para os treinos, você vai precisar também de duas plataformas em que possa subir com segurança:

Plataforma baixa: Com cerca de 2,5 cm a 5 cm de altura. Você pode usar qualquer coisa, de um *step* aeróbico a dois livros grandes de capa dura.

Plataforma alta: Com cerca de 30 cm de altura. Você pode usar uma banqueta baixa ou um *step* aeróbico com três niveladores.

Opcional:

Colchonete: Para fazer os exercícios de força no chão, é bom usar um colchonete. Se não tiver, use uma toalha de banho.

Travesseiro: Qualquer travesseiro comum serve.

Step Aeróbico: Embora não seja essencial para este programa, um *step*, como os usados em aulas de aeróbica, é um bom equipamento para se ter. Você pode usá-lo nos exercícios deste livro que pedem uma plataforma. Ou pode comprar um vídeo de aeróbica com *step* e fazer um treinamento cardiovascular. O Original Health Club Step, que vem com dois niveladores, custa cerca de U$105, mas já vi por menos.

6 Dicas Simples para Treinar

Se eu estivesse ao seu lado durante os treinos, você ouviria todas estas dicas, ao menos uma vez. Tenha-as em mente nas próximas semanas para obter o máximo das sessões de exercício e maximizar seus resultados.

Respire!

Pode parecer óbvio, mas muita gente esquece de respirar durante as rotinas de força. A respiração profunda ajuda a relaxar e impede que você retese os músculos. Ajuda também a bombear oxigênio para o organismo, fornecendo nutrientes para os músculos e reduzindo a fadiga. Em cada movimento, você deve expirar na "contração", ao erguer o peso, e expirar na "extensão", ao baixar o peso.

Fique de Olho na Postura

A postura correta é essencial para otimizar os benefícios e evitar lesões. Nos exercícios de força, de pé ou sentada, você deve ficar ereta, com os músculos do peito erguidos, o umbigo para dentro e os ombros relaxados (não curvados). Faça cada exercício lentamente e com controle total. Não balance os pesos e nem se deixe levar pelo *momentum*.

Use a Resistência Correta

Os pesos usados devem ser suficientes para deixar os músculos fatigados nas últimas repetições, mas não a ponto de sacrificar a postura ou forçar as articulações. Quando ficar mais forte, vá aumentando a resistência para que os músculos continuem a se esforçar. Mas nunca erga um peso que lhe cause desconforto.

Mova-se Compassadamente

Durante os treinos cardiovasculares, você tem que ser capaz de falar com facilidade. Se ficar vermelha e sem fôlego, é porque está exagerando! Por outro lado, se a respiração não exigir um pouco de esforço, é porque está indo muito devagar. À medida que produzir força cardiovascular, você vai ter que se esforçar um pouco mais para que o progresso continue, mas não a ponto de perder o fôlego.

Avance Devagar

Quando se trata de atividade física, é devagar e sempre que se ganha a corrida! Para manter os músculos descansados e a motivação em alta, tra-

Comprometa-se a Entrar em Forma

Parabéns outra vez! Você tomou a importante decisão de começar a cuidar do corpo. Agora, pare um instante e faça um contrato escrito consigo mesma. Enumere seus motivos para fazer essa mudança saudável e como ela vai ajudá-la a melhorar a sua qualidade de vida. Depois, ponha a data e assine. Deixe o contrato no criado-mudo para ler todas as manhãs, antes de sair da cama. Ou ponha na bolsa e dê uma lida nele sempre que quiser fugir de um treino.

Assinatura ______________________ Data ______________

balhe para aumentar a força e a resistência em pequenos incrementos. Quando o corpo não descansa, o progresso é menor e você tende a ficar esgotada. Se perder vários treinos seguidos, recomece com calma. Uma sessão vigorosa não vai recuperar o tempo perdido.

Vista-se para o Sucesso

Roupas e calçados confortáveis podem determinar a qualidade do treino. As roupas não podem ser apertadas e nem folgadas demais: elas devem permitir que você se mexa livremente mas não podem ser folgadas a ponto de atrapalhar seus movimentos. Eu adoro a sensação do algodão, mas algumas clientes preferem Lycra ou outros tecidos que dissipam o suor. Descubra o que é melhor para você! O tênis deve proporcionar apoio e amortecimento. Ao notar sinais de desgaste, compre um novo par.

CAPÍTULO TRÊS

Programa de Exercícios para Começar com Tudo de Manhã ... Estrelando Michelle Pfeiffer

Quando a Mulher Gato, também conhecida como Michelle Pfeiffer, me telefonou em 1991, eu mal consegui acreditar que uma estrela deslumbrante como ela precisava de um *personal trainer*. Eu a tinha visto em *Susie e os Baker Boys*, *Ligações Perigosas* e *Conspiração Tequila* e ela me pareceu em excelente forma. Estava lindíssima em todos os papéis. Mas, como você vai ver, a beleza pode ser enganadora.

O verão estava no fim e Michelle já tinha começado a filmar *Batman — O Retorno*. É claro que ela queria estar tonificada e em forma para usar aquela roupa *super sexy* de vinil. Além disso, precisava ficar mais forte para esse papel cheio de ação e fisicamente exigente. Como não vinha se exercitando regularmente, Michelle teria que trabalhar bastante para ficar bem preparada.

Todas as manhãs, às seis horas, ela precisava estar no *set*, pronta para fazer o cabelo e a maquiagem. Então, marcamos nosso treino diário para as 4:30 da manhã, na casa dela. Nessa hora do dia, já é difícil ficar com os olhos abertos, quanto mais manter uma conversa estimulante. Então, a conversa era pouca, o que de certo modo foi bom, pois íamos diretamente ao treino.

A casa de Michelle ficava em Brentwood, o subúrbio de Los Angeles que ficou famoso pelo julgamento de O. J. Simpson. Eu usava um código de segurança para entrar, de modo que não precisava tocar a campainha e acor-

"Depois de anos de exercícios com Kathy, tenho agora as ferramentas para malhar sozinha com segurança e eficácia, e para conciliar os exercícios com os meus horários apertados. Ela me ensinou como me manter em forma sem ter que passar todas aquelas horas na academia, o que muitas vezes pode ser uma chateação!"

— Michelle Pfeiffer

Trailer do Treino

Se você não tem se exercitado regularmente, o Treino para Começar com Tudo de Manhã, de Michelle, será o primeiro passo em seu caminho para um corpo melhor. Este programa de duas semanas é planejado para ajudá-la a voltar com facilidade a um programa de atividade física e construir uma base de resistência e força, assim como fez Michelle Pfeiffer antes do filme arrasa-quarteirão *Batman — O Retorno*.

Em Primeira Mão

Treinar às 4:30 da manhã pode parecer uma loucura, mas é um horário muito procurado pelas minhas clientes. Pelo menos duas vezes por semana, a atriz Alfre Woodard e eu caminhamos na praia de Santa Monica antes do nascer do sol. Meg Ryan e eu corríamos nas ruas de Brentwood bem antes de todo mundo acordar.

dar a casa inteira. Em geral, eu já estava ao lado do colchonete que Michelle usava para os exercícios quando ela entrava na sala. Aí era só resmungar um "Oi" sonolento, trocar um sorriso, ligar a música e começar. Em geral, Michelle usava um moleton ou uma bermuda de ciclista e camiseta, com o cabelo preso num rabo de cavalo. Fiquei aliviada ao ver que, como eu, ela tinha a aparência de quem acabou de sair da cama.

Apesar das boas intenções, Michelle nunca tinha seguido um programa regular de exercícios de longo prazo. Ela treinava durante algumas semanas ou meses e depois parava por algum tempo. (Já ouviu essa história antes?) Agora, eu tinha que trabalhar para produzir força e resistência e para reacostumar o corpo ao exercício. Além disso, era importante ela descobrir uma rotina de exercícios que lhe agradasse. Durante as primeiras semanas, nossa prioridade foi desenvolver força muscular, aumentar a resistência, queimar calorias e revigorar o corpo. Eram treinos básicos, mas eficazes.

Com o tempo, à medida que Michelle ficava mais forte, fomos ajustando o seu programa e ela acrescentou alguns equipamentos à sua caixa de ferramentas da boa forma: elásticos, *dumbbells*, uma bicicleta ergométrica. Como no caso de Michelle, quem passou algum tempo sem fazer exercícios tem que ir devagar no começo. Se você fizer demais, cedo demais, vai acabar frustrada, dolorida ou com uma lesão dolorosa, que vai acabar arruinando sua motivação e fazendo-a desistir.

Conversei com Michelle sobre seus hábitos alimentares, como faço com todas as minhas clientes. Ela já estava muito comprometida com a boa nutrição. Comia muito peixe e vegetais no vapor e, no lanche, uma barra de cereal enriquecida com vitaminas. Era uma dieta saudável e balanceada, mas não muito rígida, já que Michelle se permitia alguns excessos. No cinema, por exemplo, ela gostava de pôr M&M's na pipoca. Parece estranho, mas ela gostava da combinação doce-salgado. E gostava do chocolate um pouco derretido pelo calor da pipoca.

Na tentativa de perder peso ou definir o corpo, muita gente acha que nunca mais vai poder comer certos alimentos. Mas descobri que dietas restritivas acabam levando à obsessão por comida. Quando finalmente cede à vontade (o que geralmente acontece), você tende a devorar o dobro de alimentos "proibidos" e se sentir fracassada — ou, o que é pior, desistir da alimentação saudável. Então, seja mais realista, razoável e relaxada com relação à dieta. Não faz mal ser indulgente de vez em quando, contanto que mantenha a moderação. Se vai comer uma guloseima, escolha alguma coisa pequena, saboreie cada mordida e compense comendo alimentos nutritivos no resto do dia.

Quando a filmagem de *Batman — O Retorno* terminou, Michelle e eu mudamos nosso horário para as seis horas. Depois daquelas sessões às 4:30 da manhã, acordar para treinar às seis era como dormir até tarde! A essa altura, era óbvio que o esforço e a dedicação de Michelle estavam compensando. Ela estava muito mais forte. Eu exigia muito mais dela do que no começo e ela treinava por períodos mais longos. Isso mostra quanta diferença pode fazer

Crie Sua Própria Academia, no Estilo Michelle Pfeiffer

Durante as filmagens de *Batman — O Retorno*, trabalhávamos na sala de estar de Michelle. Mas, quando decidiu continuar com o treino, ela transformou a garagem numa academia doméstica. Você também pode fazer isso — sem ter que gastar muito dinheiro. Michelle dividiu a garagem de dois carros com uma parede divisória. Então, forrou o chão com carpete para interiores e exteriores. (Você pode usar grama sintética ou tapete industrial cinzento.) Trouxe a esteira e cobriu de espelhos uma das paredes. Você pode comprar dois ou três espelhos de corpo inteiro e pendurá-los lado a lado. *Voilà*! Acrescente um colchonete, *dumbbells* e outras ferramentas, um tocador de CD ou uma televisão, e terá seu estúdio particular para se exercitar. Ter em casa um espaço próprio para treinar pode ser muito motivador. Sempre que passar por perto, vai lembrar que tem que entrar lá e se mexer! Além disso, esse espaço mostra que você está resolvida a entrar em forma. Se não tiver garagem, use um quarto extra, o quartinho dos fundos, um canto do porão ou da sala. Para mantê-lo arrumado, guarde as ferramentas, como elásticos, *dumbbells*, corda de pular e vídeos, numa cesta grande.

um programa de exercícios bem planejado — e a persistência de quem treina.

Agora, mais de uma década depois, Michelle já transformou em hábito aqueles exercícios ao amanhecer. Embora admita que às vezes treina por obrigação, ela perseverou. Agora que tem dois filhos, em geral é no início da manhã, quando as crianças ainda estão dormindo, que ela consegue encaixar a atividade física no seu dia. Além disso, o treino a ajuda a acordar e lhe dá energia para o resto do dia. O melhor de tudo é que, exercitando-se logo e manhã, você já fica livre. Deixar o treino para a tarde ou para a noite é arriscado porque, como sabemos, há dezenas de outras atividades e compromissos que podem atrapalhar. No final de um longo dia, é fácil demais dizer a si mesma: "Estou morta de cansaço!" ou "Vou deixar o treino para amanhã".

Atrase o Relógio

Se você não é uma pessoa matutina, acredito honestamente que pode treinar para ser. É tudo uma questão de mudar o estilo de vida e acertar o relógio interior. Quando comecei a trabalhar com a atriz Penelope Ann Miller, ela era uma noctívaga convicta. Não ia para a cama antes das duas ou três da manhã e dormia até o meio-dia. Era difícil encaixá-la nos meus horários porque ela queria sempre trabalhar no meio da tarde. (Eu treino minhas clientes de manhã e, lá pelas três da tarde, já estou liquidada!) Mas, no meio-tempo, Penelope adotou um cachorro, casou e teve um bebê. Nem é preciso dizer que seus horários mudaram drasticamente. Agora, ela vai para a cama cedo e se levanta cedo. Hoje em dia, as nossas sessões são às nove horas. O corpo dela se ajustou à nova rotina, assim como vai acontecer com o seu. Lembre-se: quem sai da cama e se exercita bem cedo não tem o dia inteiro para imaginar desculpas para fugir do treino.

Café da Manhã — Tomar ou Não Tomar?

Michelle não comia nada antes de nossos treinos de madrugada, e nem eu. Mas há quem precise de um pouco de combustível para começar a se mexer e maximizar o treino. Se é o seu caso, procure tomar um suco de laranja diluído em água, uma torrada integral com um pouco de manteiga de amendoim ou meia banana, para ter um rápido aumento de energia. Lembre-se: sempre que comer antes de um treino, escolha alguma coisa leve. Depois de uma refeição maior, dê tempo para a digestão. Seja qual for o horário que você escolher para se exercitar, nunca o faça com o estômago cheio. Se comer demais, é provável que fique letárgica ou tenha cãibras.

Embora o Programa de Exercícios para Começar com Tudo de Manhã possa ser feito a qualquer momento do dia, recomendo o começo da manhã, antes do trabalho e enquanto seus filhos ainda estão na cama, como Michelle. Assim, você vai começar o dia com o pé direito, criar uma rotina e minimizar a possibilidade de desistir. É claro que o mais difícil vai ser levantar-se e começar a se mexer. Então, antes de ir para a cama, verifique se todas as ferramentas que usa para treinar estão em ordem. Acerte o despertador para um pouco mais cedo do que faria normalmente e procure dormir com a roupa do treino, ou deixá-la logo ao lado da cama. Quando o despertador tocar, a última coisa que você vai querer fazer é se exercitar. Ter tudo à mão facilita a sua transição de bela adormecida para ativa madrugadora. Depois, durante o dia, você vai ficar feliz por ter feito isso!

Programa de Exercícios para Começar com Tudo de Manhã

O PLANO

Faça o treino cardiovascular e o treino de força três vezes por semana cada um. **Cárdio**: para aumentar a resistência, levantar a energia e queimar calorias, você vai fazer uma caminhada vigorosa de 1.600 metros, procurando andar um pouco mais depressa a cada dia. **Força**: para produzir força muscular, melhorar o equilíbrio e a coordenação, você vai fazer uma mistura de 20 minutos de movimentos tradicionais de força e de balé e movimentos pliométricos (movimentos "explosivos", em que você alonga o músculo antes de contraí-lo, para aumentar a força e a potência.) Com esse treino eficaz — mas não puxado demais — você vai trabalhar os principais grupos musculares da parte inferior e da parte superior do corpo. Assim, vai começar a voltar à boa forma.

Você pode fazer esses dois programas em seguida ou fazer um de manhã e outro à tarde. Ou em dias alternados. (Por exemplo: força de segunda, quarta e sexta; cárdio de terça, quinta e sábado.) Para dar aos músculos tempo de recuperação, descanse um dia entre os treinos de força. Siga este programa por duas semanas, depois passe ao plano principal (ver Capítulo 2).

Do que Você Vai Precisar

- Relógio com *timer*
- Cadeira
- Fita Adesiva Opaca
- *Dumbbells* (1 a 3 quilos)
- Toalha
- Colchonete (opcional)

A meta deste treino cardiovascular é andar 1.600 metros em 15 minutos ou menos. Se você não consegue fazer essa distância em 15 minutos, vá aumentando aos poucos a velocidade. (Use o exemplo abaixo como guia.) Se já consegue fazer 1.600 metros em 15 minutos, continue a melhorar o seu ritmo. Quando estiver preparada, procure alternar caminhada vigorosa e corrida moderada. Mas não exagere! Como eu já disse, não se force demais para não acabar dolorida ou machucada, o que pode minar sua determinação e prejudicar suas metas de boa forma. É melhor ir trabalhando para aumentar aos poucos a velocidade e a resistência.

Se você planeja caminhar ao ar livre, entre no carro e meça um trajeto de 1.600 metros com a ajuda do velocímetro. (Você pode aproveitar e medir trajetos de 2.400 e 3.200 metros, que vai usar para o Condicionamento de Supermodelo para a Parte Inferior do Corpo e para o Programa Militar de Exercícios das Panteras). Outra opção é usar a pista de atletismo de algum clube que você conheça (4 voltas na pista são 1.600 metros).

Se o clima da sua região não favorece caminhadas ao ar livre, você pode andar numa esteira ou até num *shopping*. (Em alguns *shoppings*, você pode ir andar

Geladinho Cremoso de Morango

Adoro começar o dia com um geladinho! Este Geladinho Cremoso de Morango, um dos meus favoritos, é rico em vitamina C e cálcio. Você pode usar qualquer tipo de fruta, fresca ou congelada, em vez dos morangos ou junto com eles. Acrescente meia banana para que fique mais cremoso, ou um pouquinho de leite desnatado ou de suco de laranja para que fique mais fino. Em vez do iogurte desnatado de baunilha, você pode usar iogurte sem sabor, baunilha e açúcar.

Faz 1 porção

3/4 de xícara de morangos congelados sem açúcar
1/2 xícara de iogurte desnatado
1 colher de chá de extrato de baunilha
1 colher e chá de açúcar
Alguns cubos de gelo

Ponha todos os ingredientes no liqüidificador e bata em velocidade baixa, até a mistura ficar homogênea.

bem cedo, antes do horário das lojas. Alguns deles fornecem mapas com as distâncias. Verifique se algum *shopping* que seja conveniente para você oferece essas comodidades.) Para medir o tempo, use um relógio com *timer* ou um cronômetro. Use calçados confortáveis ou tênis para caminhada.

Treino de Cárdio - Exemplo

Semana 1

Segunda: ande 1.600 m em 22 minutos
Quarta: ande 1.600 m em 20 minutos
Sexta: ande 1.600 m em 18 minutos

Semana 2

Segunda: ande 1.600 m em 18 minutos
Quarta: ande 1.600 m em 16 minutos
Sexta: ande 1.600 m em 15 minutos

FORÇA

Faça este treino de força três vezes por semana, descansando um dia entre as sessões. Se fizer estes movimentos imediatamente depois do treino cardiovascular, pode deixar de fazer o aquecimento. Termine cada treino fazendo os alongamentos das páginas 78-81. Descanse de 15 a 60 segundos entre os exercícios, dependendo do seu grau de cansaço.

O Aquecimento

Marcha sem Sair do Lugar. Com os pés afastados na largura dos ombros, deixe os braços ao lado do corpo, o peito erguido e o umbigo para dentro. Erga um joelho por vez, o mais alto possível, enquanto balança os braços, com os cotovelos dobrados a 90 graus. Continue por 1 minuto.

Pula-corda Imaginário. Pule com os dois pés juntos, mantendo-os perto do chão. Com os braços e os ombros estáveis, descreva pequenos círculos com os antebraços para girar sua corda imaginária. Continue por 1 minuto.

Repita os dois movimentos e estará pronta para começar o treino.

O Treino

1. **Pé na Cadeira com Rosca Direta.** Fique em pé diante de uma cadeira (uma mesinha de café ou um banco também servem). Mantenha as costas eretas, o peito erguido, o umbigo para dentro e os braços ao lado do corpo. Ao expirar, erga o pé direito e pise no assento da cadeira, dobrando simultaneamente os cotovelos para erguer as mãos em direção aos ombros numa rosca direta, as palmas voltadas para cima. Ao expirar, baixe os pés e as mãos à posição inicial. Repita com o pé esquerdo. Continue alternando os lados até completar 20 pisadas com cada pé. *Trabalha os quadríceps, os músculos posteriores das coxas, os glúteos e os bíceps.*

2. Agachamento Sentado. *Para tornar este exercício mais fácil, use uma cadeira mais alta. Para torná-lo mais puxado, use uma cadeira mais baixa, ponha cada pé sobre um livro ou segure um* dumbbell *de 1 a 3 quilos em cada mão.* Vire-se, de maneira a ficar de costas para o assento da cadeira, com os pés afastados na largura dos ombros e os braços aos lados do corpo. Com o umbigo para dentro, o cóccix apontando para baixo e o peso sobre os calcanhares, expire ao dobrar lentamente os joelhos e baixar o corpo até o assento da cadeira, estendendo simultaneamente os braços à sua frente, à altura dos ombros. (Se estiver segurando *dumbbells*, deixe os braços ao lado do corpo.) Toque de leve o assento da cadeira com as nádegas e inspire ao voltar à posição inicial. Conte 2 ao baixar o corpo e mais 2 ao levantar. Faça 10 vezes. *Trabalha os quadríceps, os músculos posteriores das coxas e as nádegas.*

3. Plié Básico. Fique em pé com os pés afastados (75 a 90 cm), os joelhos ligeiramente dobrados, os pés ligeiramente voltados para fora, as mãos nos quadris. Com o peito erguido, o umbigo para dentro e o cóccix apontando para baixo, expire ao dobrar os joelhos para baixar o corpo num plié, com os joelhos apontando na mesma direção dos dedos dos pés. (Se os joelhos não ficaram alinhados com os dedos dos pés, aproxime um pouco mais os pés.) Inspire, depois expire e contraia os glúteos ao endireitar as pernas para voltar à posição inicial. Faça 15 pliés. Descanse durante 30 segundos e repita. *Trabalha os glúteos, os quadríceps, a parte interna e a parte posterior das coxas.*

4. Pulos Laterais. Pegue um pedaço comprido de fita adesiva opaca e grude-a no chão, numa linha vertical. Fique em pé ao lado esquerdo da fita, com os pés juntos, braços ao lado do corpo, umbigo para dentro. Pule sobre a fita, primeiro com o pé direito, depois com o esquerdo, expirando a cada vez que tira o pé do chão, aterrissando com os joelhos ligeiramente dobrados. Repita o movimento, saltando para a esquerda. Continue alternando os lados, até ter dado um total de 20 pulos em cada direção. *Fortalece o coração e as pernas; melhora a coordenação e o equilíbrio.*

5. Avanço Estacionário. *Para o exercício ficar mais puxado, segure um* dumbbell *de 1 a 3 quilos em cada mão.* Fique em pé, com os pés afastados na largura dos quadris, o peito erguido e o umbigo para dentro. Com o pé direito, dê um passo bem grande à frente. Mantendo o peito erguido e o umbigo para dentro, expire ao dobrar os joelhos, de modo que o joelho direito fique diretamente acima do calcanhar direito e o joelho esquerdo aponte para o chão, com o calcanhar esquerdo erguido. (Para tornar o movimento mais fácil, não dobre tanto os joelhos.) Ao inspirar, endireite as pernas e volte à posição em pé, mantendo no entanto as pernas na posição da passada, com o calcanhar esquerdo erguido. Faça 10 avanços com a perna esquerda à frente, depois inverta as pernas e repita. *Trabalha os glúteos, os quadríceps e os músculos posteriores das coxas.*

6. Corrida na Parede. Fique em pé diante de uma parede, com o peito erguido e o umbigo para dentro. Dê um grande passo para trás, de modo a ficar à distância de um braço da parede. Incline-se para a frente e ponha as mãos na parede, à altura dos ombros e afastadas à largura deles, equilibrando-se na parte da frente dos pés. Com os cotovelos ligeiramente dobrados e o torso ligeiramente inclinado para a frente, corra sem sair do lugar, erguendo os joelhos o máximo que puder, enquanto empurra as mãos contra a parede. Conte até 20 (10 levantamentos do joelho de cada lado). Descanse de 30 a 60 segundos. Repita 5 vezes. *Trabalha os glúteos, os músculos posteriores das coxas, os quadríceps; aumenta a freqüência cardíaca.*

7. Toque nos Ombros e Extensão. Sente-se na cadeira com os pés apoiados no chão, o peito erguido e o umbigo para dentro. Ponha as mãos nos ombros, com os cotovelos dobrados e abertos para os lados. Ao expirar, leve os braços acima da cabeça, estendendo-se o máximo possível para cima. Lentamente, baixe as mãos para tocar os ombros. Faça 20 vezes. No final, deixe o corpo desabar sobre as coxas, com os braços balançando. Repita o exercício inteiro uma vez. *Trabalha os ombros.*

O Poder das Flexões de Braços

Pode ser difícil fazer flexões de braços — eu admito. Mas esse é um dos meus exercícios favoritos porque os resultados são imbatíveis: ombros, peito e tríceps superdefinidos. Nenhum outro exercício faz tanto em tão pouco tempo. Além disso, você não precisa de nenhum equipamento, de forma que pode fazê-los em qualquer lugar, do escritório a um quarto de hotel. Sempre que tiver um minuto sobrando, faça 10 ou 15 flexões de braços. À medida que for ficando mais forte, procure fazê-las com os peitos dos pés apoiados no assento de um cadeira ou numa bola suíça, para aumentar a dificuldade. Ou apóie a mão sobre uma bola média para criar estabilidade. A parte superior do seu corpo vai lhe agradecer!

8. Flexões de Braços. Partindo de uma posição ajoelhada, incline-se para a frente e ponha as mãos no chão, afastadas a uma distância um pouco maior do que a largura dos ombros. Com os braços apoiando o corpo, aperte a barriga e as nádegas, de forma que o corpo forme uma linha reta da cabeça aos joelhos. Com as costas eretas e o umbigo para dentro, expire dobrando lentamente os cotovelos para baixar o peito, até que os braços fiquem paralelos ao chão. Inspire e, ao expirar, use o peito e os músculos dos braços para voltar à posição inicial. Comece fazendo 3 a 5 repetições. A cada treino, procure fazer um pouco mais. E não esqueça de respirar! Quando conseguir fazer com facilidade 15 flexões de braços consecutivas, com os joelhos dobrados, experimente fazer flexões de braços com as pernas retas, estendidas para trás, e o peso do corpo apoiado nos dedos dos pés. Se ficar muito difícil baixar o corpo, mantenha-se na parte "elevada" da flexão de braços, sem sacrificar a postura. *Trabalha o peito, os tríceps; os músculos centrais trabalham para estabilizar o corpo.*

9. O Super-Homem Encontra a Mulher-Gato. Deite-se de bruços no chão, com as pernas e os braços estendidos, os pés a cerca de 15 cm um do outro, o umbigo empurrado para dentro, em direção à coluna. Erga a cabeça e olhe para o chão, para manter o pescoço numa posição neutra. Contraia os glúteos, erguendo lentamente os braços, os ombros e as pernas, até que estejam a cerca de 15 cm do chão. Mantenha a posição durante 5 segundos e volte à posição inicial. Repita 10 vezes. Se for muito difícil, divida o movimento: erga primeiro a parte de cima do corpo, depois a de baixo. *Trabalha a base das costas, os glúteos e os músculos posteriores das coxas.*

Shake de Banana e Tâmaras

Cheio de potássio e cálcio, o *Shake* de Banana e Tâmaras, de Hollis Wilder, é um estimulante perfeito depois de um treino matutino ou de um lanche naturalmente doce para o meio da tarde, que satisfaz seu apetite.

Faz 1 porção

3/4 de xícara de leite de soja
1 banana
3 tâmaras grandes, sem sementes
Alguns cubos de gelo.

Ponha todos os ingredientes no liqüidificador e bata em baixa velocidade até ficar grosso e cremoso.

10. Bicicleta. Deite-se de costas com os joelhos dobrados e a base das costas pressionada no chão. Ponha as mãos atrás da cabeça. Com o umbigo para dentro, expire ao estender a perna direita; ao mesmo tempo, erga os ombros do chão e aproxime o cotovelo direito do joelho esquerdo. Inspire e, ao expirar, repita o exercício com a outra perna e o outro braço. Mantenha o movimento lento e controlado e concentre-se nos músculos abdominais: eles é que têm que trabalhar, não as pernas ou os ombros. Continue alternando os lados até ter feito 10 de cada lado. Descanse durante 30 segundos e então repita. *Trabalha os músculos abdominais (rectus abdominis, oblíquos interno e externo).*

Desaquecimento - Alongamentos

Alongamento Lateral em Pé. Fique em pé, com os pés afastados na largura dos quadris, os braços ao lado do corpo, o umbigo para dentro. Com o torso ereto, inspire estendendo o braço esquerdo acima do topo da cabeça e à direita. Expire sentindo o alongamento ao longo do lado esquerdo do corpo. Respire profundamente, mantendo o alongamento durante 30 segundos ou mais, sem balançar. Repita do outro lado. *Alonga os ombros, a cintura e os quadris.*

Abrindo o Peito. Fique em pé, com os pés afastados na largura dos quadris, as mãos às costas com os dedos entrelaçados, o umbigo para dentro. Mantendo os braços retos, inspire erguendo as mãos para trás. Expire, sentindo o peito se abrir. Respire profundamente, mantendo o alongamento por 30 segundos ou mais, sem balançar. *Alonga o peito.*

Alongamento dos Músculos Posteriores das Coxas com Toalha. Deite-se de costas com os joelhos dobrados, os pés apoiados no chão. Segure uma ponta da toalha em cada mão e enganche o meio da toalha no arco do pé esquerdo. Agora, erga a perna esquerda estendida, até que fique um pouco à frente do quadril direito. Ao expirar, puxe o pé esquerdo ligeiramente para baixo, em sua direção, usando a toalha para alongar a parte de trás da coxa. Respire profundamente, mantendo o alongamento durante 30 segundos, ou o máximo que puder, sem balançar. Repita com a outra perna. *Alonga os músculos posteriores das coxas.*

Postura de Criança. Comece na posição ajoelhada, ereta. Sente-se nos calcanhares, depois incline-se para a frente e apóie a testa no chão, com os braços ao lado do corpo e as palmas das mãos voltadas para cima. Deixe o corpo relaxar completamente e respire fundo, fazendo o ar entrar pelo nariz e sair pela boca. A cada respiração, deixe que os músculos se soltem ainda mais em direção ao chão. Fique nessa posição por 10 respirações completas, ou pelo tempo que quiser. *Acalma a base das costas; rejuvenesce e descansa o corpo.*

Condicionamento de Supermodelo para a Parte Inferior do Corpo
... Estrelando Claudia Schiffer

Conheci Claudia Schiffer em Las Vegas, no galpão do seu então namorado, o grande ilusionista David Copperfield. Claudia estava interessada em fazer alguns vídeos de exercícios (como outras supermodelos fizeram) e precisava de um especialista em *fitness* para ajudá-la a criar e a coreografar os exercícios. Além de mim, vários outros *personal trainers* estavam sendo entrevistados para o emprego. Depois de me reunir com os produtores, voei para Las Vegas para uma entrevista com Claudia e sua equipe de criação.

Quando cheguei ao galpão de David, pensei que tinha errado de endereço. A entrada estava cheia de manequins vestidos com *négligés* — parecia uma loja de *lingerie*! Verifiquei de novo o número na porta da frente. Era o mesmo que tinham me dado, mas eu ainda não conseguia acreditar que estava no lugar certo. Então, com o canto do olho, vi um bilhete preso a um dos manequins, que dizia: "Aperte o meu seio." Aquilo me pareceu uma coisa saída do desenho *Scooby-Doo*. Era a campainha mais estranha que já tinha visto.

Sentindo-me num programa de "pegadinhas", fui em frente e... apertei o seio. Abracadabra! Uma porta se abriu e lá estava Claudia, tão deslumbrante quanto nas fotos da *Sports Illustrated*. Mas, em vez de biquíni, usava uma camisetinha e malha de ginástica. Estava

"Treinar com Kathy foi uma inspiração para mim e espero que seja uma inspiração para todas as mulheres. Os exercícios que ela planeja são agradáveis e fáceis de seguir, e sua orientação é honesta. Só de prestar atenção no corpo podemos obter resultados realistas, por dentro e por fora. A atividade física é incrivelmente importante para as mulheres — gera na nossa vida um equilíbrio que combate os efeitos das mudanças naturais e inevitáveis sobre o corpo. É um tônico que nos mantém jovens, nos dá força e melhora nossa qualidade de vida."

— Claudia Schiffer

Trailer do Treino

Acredite ou não, até modelos como Claudia Schiffer precisam trabalhar para firmar aqueles pontos femininos problemáticos — especialmente glúteos, quadris e coxas. Uma vez por semana, faça este treino de 20 minutos, que trabalha a parte de baixo do corpo, planejado para deixar Claudia pronta para a passarela. Junto com ele, faça um treino cardiovascular de 25 minutos, para queimar calorias. Assim, antes que perceba, você vai estar sorrindo para a câmera sem se esconder.

A Motivação da Segunda-Feira

Se você pretende transformar a atividade física num hábito duradouro, nunca deixe de treinar numa segunda-feira. Exercitar-se no primeiro dia útil estabelece um padrão psicológico que mantém a bola rolando pelo resto da semana.

sem maquiagem mas, mesmo assim, lindíssima. Parada ali, diante dela, entendi por que algumas mulheres são supermodelos. Ela é uma obra-prima: não é de admirar que o mundo goste de vê-la.

Como eu viria a descobrir, o galpão de David abrigava todo o material usado em seus *shows* de mágica. Dentro do prédio havia tudo de que ele precisava para cortar uma mulher pelo meio, fazer sua assistente — *puf!* — desaparecer, atravessar a Grande Muralha da China ou voar pelo ar. Era também ali que ele e sua equipe de ajudantes trabalhavam para desenvolver novos truques. Havia escritórios, uma área de estar com sofás, uma cozinha, um quarto de dormir e uma academia completa. Mas em vez de tentar espiar os "segredos" do grande mestre, eu me concentrei no meu trabalho.

Depois de um *tour* pelo galpão de David, Claudia e eu nos sentamos e conversamos sobre o que ela tinha em mente para os vídeos. Revimos alguns vídeos de exercícios feitos por outras modelos para ter uma idéia da "concorrência" e, é claro, de como fazer alguma coisa ainda melhor. Claudia queria que seus vídeos fossem bem produzidos e estilizados, com um "jeito MTV". Nessas conversas iniciais, percebi que esses vídeos não seriam como a média dos vídeos de exercícios que conhecemos. Seriam uma produção artística do calibre de uma supermodelo.

Cerca de três dias depois, quando já estava de volta a Los Angeles, o agente de Claudia ligou me convidando para fazer parte da equipe do vídeo. Tinha passado na entrevista e agora era hora de testar minha capacidade de treinadora. Teria que voltar a Las Vegas e começar a trabalhar com Claudia. Juntas, íamos escolher os movimentos a serem apresentados nos vídeos. Além disso, tinha que prepará-la para fazer esses exercícios na frente da câmera. A essa altura, eu não tinha idéia do que ela era capaz fisicamente.

Durante o mês seguinte, voei diariamente de Los Angeles para Las Vegas, de Las Vegas para Los Angeles. Todas as tardes, eu ia de carro até o aeroporto, pegava um avião, depois um táxi, chegava ao galpão de David e trabalhava com Claudia por cerca de uma hora. Com isso, tivemos oportunidade de nos conhecer muito bem. Claudia conseguiu entender minha técnica e quais seriam seus resultados a longo prazo. Ao mesmo tempo, entendi o que era importante para ela. Ela queria que seu corpo inteiro ficasse mais forte e mais tonificado, especialmente os glúteos, as coxas, a barriga e os braços.

Na nossa primeira sessão oficial de treinamento, pedi que Claudia fizesse uma flexão de braços, mantendo o corpo na posição. Percebi então que a força da parte de cima do seu corpo era, para ser bem honesta, inexistente: ela não conseguiu fazer uma única flexão de braços. Assim, o condicionamento dessa parte do corpo seria uma prioridade. Depois de cada treino, eu fazia a viagem de volta para Los Angeles. Acumulei muitos pontos em programas de milhagem, mas valeu a pena. Claudia e eu desenvolvemos uma química incrível e acabamos tendo grandes idéias.

Concentrando-nos nas metas de Claudia, começamos a construir as bases para as rotinas de exercícios dos vídeos. Decidimos fazer uma série chamada *Perfectly Fit*, composta de quatro vídeos separados de trinta minutos, focalizando partes específicas do corpo: glúteos, pernas, abdômen e braços. A série foi projetada para um treino rápido e com objetivos claros — uma coisa que Claudia, ou qualquer pessoa, pudesse fazer a qualquer momento, em qualquer lugar.

Em qualquer lugar mesmo! Quando David começou sua turnê, nós praticamente nos mudamos para o ônibus. (Claudia era uma namorada incrivelmente devotada!) Digamos que a vida na estrada não era exatamente glamourosa. Eu dormia na parte de baixo de um beliche de três andares no corredor do ônibus. Todos os dias, chegávamos a uma nova cidade por volta das quatro da tarde, o que dava a David umas três ou quatro horas para se preparar. Enquanto isso, Claudia e eu procurávamos um lugar para treinar. Quando o *show* começava, por volta das sete ou oito da noite, começava a sessão de treinamento de Claudia.

Enquanto David maravilhava o público, eu me maravilhava com a rapidez com que Claudia assimilava os exercícios. Geralmente, o treino era numa sala vazia, com uma cadeira, uma corda de pular, uma bola pequena e alguns *dumbbells*. Eram salas que serviam muito mais para reuniões de diretoria do que para pôr uma supermodelo em forma para uma série de vídeos. Mas com algum conhecimento e criatividade, você pode fazer um treino fantástico em qualquer lugar.

Às vezes, antes do treino, Claudia e eu saíamos para andar pela cidade. Era uma maneira de conhecer o lugar, esticar as pernas e acrescentar um pouco de exercício cardiovascular à rotina dela. Sempre que possível, pegávamos ladeiras para aumentar a intensidade e a queima calórica. Subir uma ladeira é um ótimo exercício para os glúteos e as coxas.

Na estrada, a alimentação saudável pode ser um desafio, mas Claudia estava sempre atenta ao que pedia. Quando jantávamos num restaurante, ela pedia uma salada, peixe ou carne grelhada. No café da manhã e no almoço, pedia frutas. E sempre comia em pequenas porções, em vez de se empanturrar com uma refeição grande demais. Claudia não tinha muitos vícios, mas adorava chocolate, como tanta gente. Como já expliquei, é importante deixar espaço na dieta para o que você gosta. Assim, não vai ficar frustrada. Mas esteja atenta e use a moderação. Por exemplo: se estiver louca por um chocolate, pegue um pedaço pequeno, coma devagar e aproveite cada mordida.

Quando finalmente ficamos prontas para começar a gravar os vídeos, viajamos ainda mais. Desta vez, fomos para São Bartolomeu e Praga — dois lugares em que eu nunca havia estado. A Ilha de São Bartolomeu é um paraíso tropical nas Índias Ocidentais Francesas, com colinas verdejantes, águas azuis e um porto fantástico, cheio de iates e barcos rústicos de pesca. É tão incrivelmente bonito que até hoje tenho vontade de voltar lá. Ficamos em chalés individuais que faziam parte de um hotel de luxo, de frente para a praia. Nada que lembrasse o ônibus da turnê de David!

Notícia Doce-Amarga

Quando saboreado com moderação, o chocolate pode fazer parte de uma dieta saudável. É uma rica fonte de antioxidantes chamados flavonóides, que diminuem comprovadamente o risco de doenças cardiovasculares e possivelmente de câncer. As variedades escuras, como o amargo e o meio-amargo, contêm mais flavonóides. Lembre-se: o chocolate é rico em gordura e calorias. Um tablete de trinta gramas de chocolate ao leite ou meio-amargo tem de 140 a 150 calorias e 8 a 10 gramas de gordura. Então, apesar dos benefícios à saúde, não exagere!

Atum Tostado com Papaia Grelhado, Pepino e Vinagrete de Hortelã

Nos últimos anos, aprendemos a importância do peixe na dieta. Um dos meus peixes favoritos é o atum, rico em ácidos graxos ômega-3, que reduzem o risco de doenças cardíacas e de câncer. Esta saudável receita no estilo havaiano é uma cortesia do meu amigo Wolfgang Puck. Ele recomenda tostar o atum ao ar livre, numa grelha que sirva também para grelhar o papaia. Você encontra os ingredientes especiais que a receita pede, assim como o atum, em lojas de artigos orientais ou em grandes supermercados.

Faz de 6 a 8 porções

Papaia Grelhado, Pepino e Vinagrete de Hortelã

1/2 papaia vermelho, sem casca e sem sementes
1 colher de chá de molho de pimenta vermelha
Sal
1/2 xícara de vinagre de vinho tinto
1/4 de xícara de suco de limão galego
2 colheres de sopa de molho de peixe (nuoc cham)
2 colheres de sopa de molho de soja
1/3 de xícara de óleo de amendoim
1/4 de xícara de óleo de gergelim
1/4 a 1/2 xícara de cebola de Maui, ou cebola roxa, em cubinhos
3/4 de xícara de pepino sem casca e sem sementes, em cubinhos
3 colheres de sopa de hortelã cortada
1 colher de sopa de manjericão fresco cortado
1 colher de chá de açúcar
1/2 colher de chá de pimenta branca

Atum Tostado

700 gr de atum ahi, próprio para sushi
Óleo de amendoim
Sal
Pimenta-do-reino moída na hora

1. Pré-aqueça a grelha.

2. Papaia grelhado, Pepino e Vinagrete de Hortelã: tempere meio papaia com molho de pimenta e sal. Grelhe o papaia por vários minutos de cada lado, até que esteja marcado pela grelha e comece a amolecer. Reserve, deixando a grelha quente. Quando o papaia esfriar um pouco, corte em cubos pequenos: deve dar 3/4 de xícara. Numa tigela grande não-reativa, ponha o vinagre, o suco de limão, o molho de peixe e o molho de soja. Junte o óleo de amendoim e o óleo de gergelim. Acrescente o papaia e a cebola. Misture bem. Acrescente o pepino, a hortelã, o manjericão e a pimenta branca. Misture outra vez, cubra e deixe por 2 horas na geladeira, para que os sabores se casem. O vinagrete pode ficar por 24 horas na geladeira.

3. Atum Tostado: respingue o atum com óleo de amendoim e tempere com sal e pimenta do reino. Ponha o atum numa grelha quente e toste-o dos dois lados, até que a parte de fora esteja dourada e com as marcas da grelha: de 30 segundos a 1 minuto de cada lado. A parte de dentro deve ficar crua. Tire o atum da grelha. Corte o atum em fatias transversais de 1/2 cm.

4. Arrume as fatias em camadas numa bandeja ou em pratos individuais. Com uma colher, ponha o vinagrete sobre as fatias e à sua volta. Sirva imediatamente.

Todas as manhãs, eu abria a minha porta de vidro e saía para andar na areia quente e macia. Como não era estação turística, a ilha estava silenciosa e tranqüila. E a comida era incrível. Comíamos saladas de frutas coloridas no café da manhã. No almoço e no jantar, comíamos peixe-espada, salmão ou mahi-mahi grelhados. Ainda fico com água na boca só de lembrar. É incrivelmente fácil comer de maneira saudável quando se tem todos os dias à disposição uma variedade de alimentos deliciosos, nutritivos e naturalmente magros.

Praga também foi incrível, embora totalmente diferente de São Bartolomeu. A capital da República Tcheca, localizada no coração da Europa Oriental, é uma cidade cheia de ruas de pedras e pontes muito antigas. É o lar de castelos e igrejas com torres de pontas douradas. Por isso, é chamada de Cidade das Cem Torres. A história e o romance parecem nos acompanhar pelas ruas estreitas. Praga é um lugar próximo ao coração de Claudia, que foi criada na Alemanha, e ela queria compartilhar a beleza e a majestade da cidade com outras pessoas. Assim, filmamos uma parte de cada vídeo num terraço de onde se vê a cidade.

Ser "Magra como uma Supermodelo" Significa Estar em Boa Forma?

Há mulheres que passam a vida combatendo o excesso de peso, acreditando que magreza é boa forma. Mas elas estão erradas. Na verdade, mulheres magras mas fora de forma são propensas a muitos problemas de saúde, como enfarte, derrame, diabete e câncer. Não é só o excesso de peso que favorece essas doenças, mas a falta de atividade também. Seja qual for seu peso, o exercício cardiovascular é essencial para a saúde do coração e dos pulmões. O treinamento de força também é importante para manter fortes os músculos e os ossos, prevenindo a osteoporose. Na verdade, mulheres magras são mais propensas a ter esse problema, que pode resultar em fraturas ósseas. E todas nós temos que trabalhar para aumentar a flexibilidade e o equilíbrio, principalmente à medida que envelhecemos, para nos manter ativas. Então, mesmo que esteja perto do peso ideal, lembre-se de que a atividade física é vital. Ela vai ajudá-la a melhorar a sua qualidade de vida agora e a manter a sua liberdade e a sua independência no futuro.

Os vídeos ficaram ótimos e os produtores e amigos de Claudia ficaram espantados com o seu físico. Como eu disse antes, na primeira vez que lhe pedi para fazer flexões de braços, ela mal conseguiu fazer uma. Agora, ela fazia três séries de quinze. Seu corpo não ficou forte só na aparência: ficou forte de verdade. Os glúteos e as coxas ficaram mais firmes, o estômago mais chapado e os braços mais definidos. Claudia estava em ótima forma e isso era visível. As pessoas diziam, brincando, que David tinha usado sua varinha mágica. Mas não havia mágica nenhuma. Foi o esforço de Claudia, combinado com exercícios eficazes para trabalhar cada área problemática do seu corpo, que conseguiu aquele resultado.

Segue-se uma versão condensada do melhor de minhas sessões de treinamento com Claudia. Esse treino é projetado para ajudá-la a tonificar, endurecer, erguer e fortalecer suas zonas mais problemáticas, com ênfase nas que preocupam quase todas nós: quadris, glúteos e coxas. É fácil, direto e eficaz. Agora diga *Presto* três vezes e estará pronta para começar!

Condicionamento de Supermodelo para a Parte Inferior do Corpo

O PLANO

Faça este treino uma vez por semana, às segundas-feiras. **Cárdio**: você vai queimar gordura andando e pulando corda neste treino intervalado de 25 minutos. **Força**: você vai fazer uma rotina de 20 minutos que trabalha os glúteos, os quadris, as coxas e as panturrilhas. Este treino inclui alguns dos meus exercícios clássicos favoritos, além de movimentos inovadores que exigem agilidade e equilíbrio.

Você pode fazer o treino cardiovascular e o treino de força um depois do outro ou dividi-los entre manhã e tarde.

Do que Você Vai Precisar

- Relógio com *timer*
- Corda de pular
- Cadeira
- Plataforma baixa, de 2,5 a 5 cm. (Serve qualquer coisa em que dê para ficar em pé com segurança: um *step* aeróbico, dois livros grandes de capa dura ou um pedaço de viga de madeira.)
- *Dumbbells* (1 a 3 quilos)
- Bola de tamanho médio (de basquete, de futebol, de vôlei ou uma bola pequena de praia)

CÁRDIO

Neste treino intervalado, você vai caminhar e pular corda para queimar calorias e detonar a flacidez. Eis como funciona: você faz quatro minutos de caminhada seguidos de um minuto pulando corda, e vai repetindo esses intervalos até percorrer 2.400 m. Um treino que alterna momentos de maior e menor intensidade eleva a freqüência cardíaca de modo controlável. Além disso, eleva o nível de condicionamento e queima mais calorias — sem que você fique esgotada.

Sua meta deve ser caminhar numa velocidade de 1.600 metros a cada 15 minutos (ou 6.400 metros por hora). A parte cardiovascular do treino deve levar de 25 a 30 minutos. (Quem não consegue andar 1.600 metros em 15 minutos pode demorar um pouco mais.)

Se você não pula corda desde a quarta série, não se preocupe. Mesmo que não fosse a melhor da sua rua, vai precisar treinar só um pouquinho para voltar a pegar o jeito. Veja as Dicas Básicas para Pular Corda (página 92) antes de começar. Se você tem dor crônica nas costas ou tornozelos fracos, use uma corda de pular imaginária, caminhe sem sair do lugar ou experimente outra atividade cardiovascular, como subir escadas ou pedalar. Como a meta é aumentar a freqüência cardíaca, a atividade tem que ser um pouco puxada.

Se você começou fazendo o Programa de Exercícios para Começar com Tudo de Manhã, pode ser que já tenha mapeado o seu trajeto de caminhada para este programa. Se não, pegue o carro e use o velocímetro para medir um caminho de 2.400 metros. (Você pode aproveitar e mapear também um trajeto de 3.200 metros, que vai usar no Programa Militar de Exercícios das Panteras.) Alternativamente, pode usar a pista de atletismo de um clube (4 voltas são 1.600 metros). Ou, se não der para treinar ao ar livre, ande numa esteira ou até mesmo num *shopping center.*

Para começar, amarre a corda de pular na cintura. Use um relógio com *timer* para controlar o tempo.

(Um cronômetro também funciona.) Use sapatos confortáveis ou tênis próprio para caminhada.

Os intervalos se dividem assim:

Minutos 1-4: Caminhar
Minuto 5: Pular corda
Minutos 6-9: Caminhar
Minuto 10: Pular corda
Minutos 11-14: Caminhar
Minuto 15: Pular corda
Minutos 16-19: Caminhar
Minuto 20: Pular corda
Minutos 21-25: Caminhar

FORÇA

Para obter o máximo de benefícios e evitar lesões, é preciso estar com os músculos aquecidos para começar este treino. (Se fizer estes exercícios logo depois da rotina cardiovascular, pode deixar de fazer o aquecimento abaixo.) Termine cada treino fazendo os alongamentos das páginas 105-107. Descanse de 15 a 60 segundos entre os exercícios, dependendo de como se sente.

Dicas Básicas para Pular Corda

Adoro ensinar a pular corda porque acho que esse é um dos melhores exercícios que existem. Com uma corda de pular, você detona mais de 100 calorias em 10 minutos e melhora o condicionamento cardiovascular. E ainda por cima é divertido! Para começar, balance a corda num movimento suave e rítmico. Use os pulsos para mover a corda, não os ombros, e mantenha os cotovelos junto ao corpo. Pule com os pés próximos ao chão para minimizar o impacto. (Basta elevar os pés uns 3 cm.) Vá aumentando a velocidade da corda à medida que o movimento ficar mais fácil. Dê só um pulo por volta. Se errar no começo, seja paciente e continue a tentar. Logo logo você vai estar pulando corda por aí e queimando calorias como Sylvester Stallone em *Rocky*.

Aquecimento

Levantamentos de Joelho. Fique em pé, com os pés afastados na largura dos quadris, joelhos ligeiramente dobrados, peito erguido e umbigo para dentro. Levante o joelho direito em direção ao peito, depois baixe o joelho e repita com o esquerdo. Faça 10 vezes. Agora, estenda os braços para a frente, à altura do peito, com as palmas das mãos para baixo. Levante o joelho direito e tente tocar com ele a palma da mão direita, baixando-o em seguida. Repita com o joelho esquerdo. Faça 10 vezes. Finalmente, levante o joelho direito em direção ao peito e tente tocar com ele o cotovelo esquerdo, baixando-o em seguida. Repita com o joelho esquerdo e o cotovelo direito. Faça 10 vezes.

Repita os 3 levantamentos de joelho (mais 10 vezes cada um) e você estará pronta para começar o treino.

O Treino

1. Postura da Cadeira. Fique em pé com os pés afastados na largura dos quadris, peito erguido e umbigo para dentro. Contraia os músculos da base pélvica, ou seja, os músculos usados para parar o fluxo da urina. Ao expirar, dobre os joelhos e baixe os quadris até que os joelhos formem um ângulo de quase 90 graus. Simultaneamente, estenda os braços para cima, de maneira que fiquem junto às orelhas. O torso deve se inclinar ligeiramente para a frente. Relaxe o rosto, erga o peito e aponte o cóccix para o chão. É como se você estivesse sentada numa cadeira imaginária. Mantenha-se na posição, inspirando e expirando até ter completado 10 respirações. Descanse durante 30 segundos. Repita 4 vezes. *Trabalha os quadríceps, os músculos posteriores da coxa, os glúteos, os quadris, as costas, os ombros e os músculos centrais, incluindo o pubococcygeus (MP).*

2. a) Levantamento da Perna para Trás — Em Pé. Fique em pé, a cerca de 30 cm do encosto de uma cadeira, com o peito erguido e o umbigo para dentro. Dobre-se para a frente nos quadris e apóie os antebraços no encosto da cadeira. Com o joelho direito ligeiramente dobrado e o umbigo para dentro, expire e contraia os glúteos, levantando a perna esquerda para trás, o mais alto que puder. Faça 10 vezes, depois repita com a outra perna. *Trabalha os glúteos e os músculos posteriores das coxas.*

b) Subida da Panturrilha. Fique em pé numa plataforma baixa — um degrau, um *step*, um livro ou uma viga — com os pés afastados na largura dos quadris, peito erguido e umbigo para dentro. Seu peso incide sobre a parte da frente dos pés e os calcanhares ficam para fora da borda da plataforma. Baixe os calcanhares cerca de 5 cm, depois erga-se sobre a parte da frente dos pés e faça uma pausa. Faça 15 vezes. *Trabalha as panturrilhas.*

Depois de completar os dois exercícios, descanse durante 30 segundos e repita.

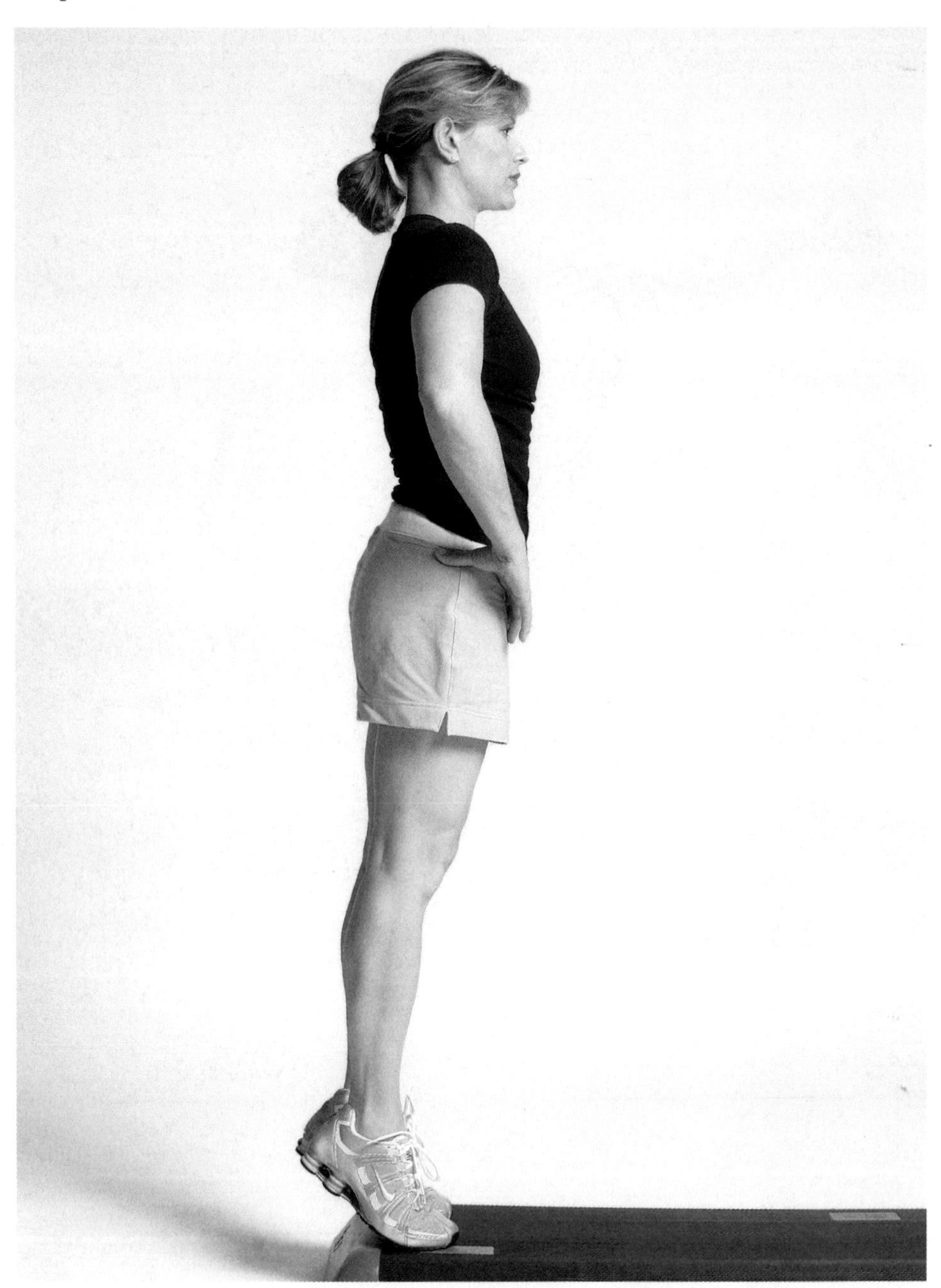

3. Avanço — Vai e Volta. Fique em pé com os pés afastados na largura dos quadris, peito erguido e umbigo para dentro. Dê uma grande passada para a frente com o pé esquerdo. Ao expirar, dobre os joelhos num avanço, de modo que o joelho esquerdo esteja diretamente acima do pé esquerdo e o joelho direito aponte para o chão, com o calcanhar direito erguido. Inspire e, ao expirar, levante-se com a ajuda do pé esquerdo, endireite as pernas e leve os pés de volta à posição inicial. Agora, expire, dando uma grande passada para trás com o pé esquerdo e dobrando os dois joelhos em outro avanço. O joelho direito fica diretamente acima do tornozelo direito e o joelho esquerdo aponta para o chão, com o calcanhar esquerdo erguido. Inspire e, ao expirar, volte à posição inicial. Repita até ter feito 8 movimentos para a frente e para trás com a perna esquerda. Repita com a perna direita. *Trabalha os quadríceps, os glúteos, os músculos posteriores das coxas, a parte interna e a parte externa das coxas.*

4. Agachamento de uma Perna. *Se este movimento for muito difícil, baixe os quadris apenas alguns centímetros no início, progredindo gradualmente para um agachamento completo.* Fique em pé, com os braços ao lado do corpo, peito erguido e umbigo para dentro. Com o joelho direito ligeiramente dobrado, leve o pé esquerdo à frente. Com as costas retas e o joelho direito alinhado com os dedos dos pés, expire, dobrando o joelho direito e sentando-se para trás o máximo que puder, num agachamento. Ao mesmo tempo, estenda os braços no nível dos ombros. Respire profundamente, mantendo-se na posição por 2 segundos. Ao expirar, endireite o joelho direito e baixe os braços para voltar à posição inicial. Faça 8 a 10 vezes com a perna direita, depois repita com a esquerda. *Trabalha os quadríceps, alguns tendões das pernas e os glúteos.*

5. Levantamento da Perna com *Dumbbell*. Deite-se no chão sobre o lado esquerdo, pernas estendidas, quadris encaixados um em cima do outro, umbigo para dentro. A cabeça, os ombros e os quadris devem formar uma linha reta. Mantendo a perna direita reta e o pé direito flexionado, traga o joelho esquerdo em direção ao peito, até que esteja na linha dos quadris. Ponha um *dumbbell* de 1 a 3 quilos sobre a coxa direita e mantenha-o lá durante o exercício. Ao expirar, use os músculos da parte externa da coxa para erguer lentamente a perna direita cerca de 30 cm, mantendo a rótula direita voltada para a frente. Não erga demais a perna direita e também não se incline, nem para a frente nem para trás, com o torso. Leve o pé direito de volta ao chão. Depois de fazer esse levantamento 15 vezes, tire o *dumbbell* de cima da perna e leve o joelho direito em direção ao peito. Ao expirar, estenda a perna, mantendo o pé flexionado. Faça 15 vezes. Repita com a outra perna. *Trabalha a parte externa das coxas.*

6. Oposição Braço/Perna. Fique de quatro, com as mãos diretamente sob os ombros e as costas retas. Com o umbigo para dentro, expire, estendendo o braço esquerdo para a frente e a perna direita para trás, até que estejam ambos paralelos ao chão. Respire profundamente, mantendo a posição por 30 segundos. Repita, estendendo agora o braço direito e a perna esquerda. Continue alternando os lados até ter feito o movimento 2 vezes de cada lado. *Trabalha o erector spinae, os abdominais, os glúteos e a parte superior das costas.*

7. Compressão da Bola em Três Posições. Deite-se no chão sobre o lado esquerdo, com os quadris encaixados um sobre o outro, o umbigo para dentro. Ponha uma bola de tamanho médio entre os joelhos, usando os músculos da parte interna das coxas para segurá-la no lugar. Ao expirar, faça pressão com a coxa direita para comprimir a bola 15 vezes. Com a bola entre os joelhos, expire, rolando para ficar de costas, e erga os dedos dos pés. Use as duas coxas para comprimir a bola 15 vezes. Finalmente, expire ao rolar para o lado direito, pressionando a bola 15 vezes com a coxa esquerda. *Trabalha a parte interna das coxas.*

8. Levantamento dos Quadris. *Faço esse exercício com todas as minhas clientes porque ele trabalha um ponto que todas querem tonificar — a área entre os glúteos e o posterior da coxa, ou* bu-thigh, *como diz Moon Zappa.* Deite-se de costas à frente de uma cadeira, com os joelhos dobrados e os calcanhares sobre o assento da cadeira. (Uma mesinha também serve.) Os joelhos devem ficar diretamente acima dos quadris, os braços ao lado do corpo. Ao expirar, pressione os calcanhares sobre o assento da cadeira e contraia os glúteos, até que os quadris se ergam do chão. Faça uma pausa e baixe os quadris. Faça 10 vezes. Descanse de 30 a 60 segundos e repita. *Trabalha os glúteos.*

9. Ponte de uma Perna. Deite-se de costas, com os joelhos dobrados, os pés juntos e apoiados no chão, os braços ao lado do corpo. Com o umbigo para dentro e os joelhos juntos, expire e estenda a perna esquerda à sua frente, erguendo os quadris e as costas do chão, numa "ponte" moderada. Os braços, ombros, pescoço e cabeça permanecem no chão. Os quadris devem ficar retos, não inclinados. Contraia a parte interna das coxas e mantenha os joelhos juntos para que o quadril esquerdo não caia. Respire profundamente, mantendo a posição por 15 a 30 segundos. Volte à posição inicial. Repita, estendendo a perna direita. *Trabalha os glúteos.*

10. Levantamento do Corpo Deitado de Lado. Deite-se sobre o lado esquerdo, as pernas estendidas, apoiando o peso do corpo sobre o cotovelo esquerdo e o quadril esquerdo. Para manter o equilíbrio, a perna esquerda pode ficar ligeiramente à frente da direita. Descanse o braço direito sobre o lado do corpo. Com o umbigo para dentro, expire, erguendo os quadris até que o corpo forme uma linha reta dos pés à cabeça. Assim, você usa os músculos da parte superior dos quadris, dos glúteos e os abdominais. Mantenha a posição durante 5 segundos, depois baixe os quadris de volta à posição inicial. Faça duas vezes e repita do outro lado. *Trabalha os músculos centrais (abdominais e base das costas) e os da parte externa dos quadris; os ombros funcionam como estabilizadores.*

Desaquecimento - Alongamentos

Alongamento do Gato. Fique de quatro, com as mãos diretamente sob os ombros e os joelhos na linha dos quadris. Com o umbigo para dentro, expire, arredondando as costas como um gato, deixando a cabeça cair na direção do chão. Respire profundamente, mantendo a posição por 2 ou 3 segundos, e volte à posição inicial. Repita 5 vezes, ou quantas vezes quiser. *Alonga o ombros, a parte de cima e a parte de baixo das costas.*

Cachorro Inclinado para Baixo. Fique de quatro e expire ao pressionar as mãos no chão e endireitar as pernas, erguendo os quadris em direção ao teto. Com o umbigo para dentro, continue a elevar o cóccix, pressionando os calcanhares contra o chão o máximo que puder. O corpo deve formar um V invertido. Respire profundamente, mantendo a posição por 30 segundos ou enquanto for confortável. Volte à posição inicial. *Alonga os músculos posteriores da coxa, as panturrilhas, os tendões de Aquiles, a parte de cima das costas.*

Alongamento da Coxa / Flexor dos Quadris. Ajoelhada e ereta, ponha o pé direito no chão à sua frente, com o joelho direito dobrado e alinhado com os dedos dos pés. As mãos ficam nos quadris ou, se você for bem flexível, no chão, uma de cada lado do pé direito. Pressione para a frente com os quadris para alongar a parte da frente da coxa esquerda. Respire profundamente, mantendo a posição por 30 segundos, ou o máximo que puder. Repita com a outra perna. *Alonga o flexores dos quadris e os quadríceps.*

Postura de Criança. Comece em posição ajoelhada, ereta. Sente-se nos calcanhares, depois incline-se para a frente e apóie a testa no chão, com os braços ao lado do corpo e as palmas das mãos voltadas para cima. Deixe o corpo relaxar completamente e respire fundo, fazendo o ar entrar pelo nariz e sair pela boca. A cada respiração, deixe que os músculos se soltem ainda mais em direção ao chão. Fique na posição por 10 respirações completas, ou pelo tempo que quiser. *Acalma a base das costas; rejuvenesce e descansa o corpo.*

Molho de Abacaxi Picante, Damasco e Jicama

Neste molho, a *chef* Hollis Wilder usa uma inesperada combinação de ingredientes doces e picantes. É delicioso com *tortillas* de baixa caloria ou para acompanhar peixe, frango ou outras aves.

Faz 1 1/2 xícara

- **1/4 de um abacaxi maduro, descascado e cortado em pedaços de 1/2 cm**
- **1/2 xícara de jicama, descascada e cortada em pedaços de 1/2 cm**
- **1/3 de xícara de damascos, cortados em pedaços**
- **1/4 de uma cebola roxa pequena, cortada**
- **1/2 maço de salsa fresca, bem picada**
- **1/2 pimenta malagueta fresca, bem picada**

Numa tigela, misture todos os ingredientes e tempere com sal. O molho deve ser feito com seis horas de antecedência. Mantenha coberto e resfriado.

CAPÍTULO 5 CINCO

Programa de Exercícios da Rachel para Deixar a Parte Superior do Corpo Super Sexy

... Estrelando Jeniffer Aniston

Comecei a treinar Jennifer Aniston mais ou menos na época em que *Friends* debutou, no segundo semestre de 1994. Como o programa já tinha uma certa repercussão, eu sabia quem ela era. Mas foi só um ano depois, quando *Friends* conquistou o *status* de mega-sucesso, que ela se tornou um nome conhecido por todo mundo. Mal sabia eu que aquela atriz divertida de vinte e cinco anos acabaria revolucionando sozinha o corte de cabelo das mulheres, levando para casa um cheque de um milhão de dólares por episódio e se casando com o homem mais *sexy* do planeta, Brad Pitt.

"Eu estava fazendo exercícios com Kathy logo no início das filmagens de *Friends*. Ela me ensinou que exercícios básicos, como andar, alongar e usar o peso do meu próprio corpo como apoio é o que vai me pôr na melhor condição física possível. Quando consigo me exercitar, sempre fico melhor comigo mesma e sinto que tenho muito mais probabilidade de manter um estilo de vida saudável."

— Jennifer Aniston

Quando Jennifer e eu nos conhecemos, ela não era tão enxuta como hoje. Tinha perdido algum peso desde sua participação na versão para a TV de *Ferris Bueller's Day Off*, vários anos antes, mas ainda tinha um ar de quem acabou de sair da faculdade. Pelos padrões de Hollywood, talvez tivesse que ser um pouco mais magra, mas não estava acima do peso de jeito nenhum. Como Jennifer teria dito uma vez: "Eu não era gorda, era grega — e as gregas são roliças, com bunda e seios grandes."

Jennifer e eu treinávamos duas ou três vezes por semana, na casa dela, numa academia exclusiva na zona oeste de Hollywood, chamada Muscle Under, ou no estúdio da Warner Brothers, onde *Friends* era gravado. Na Warner Brothers, via muitas vezes outras celebridades cuidando da forma entre uma tomada e outra. Um dia, Brooke Shields estava bem ao nosso

Trailer do Treino

Em menos tempo do que assiste a um episódio de *Friends*, você pode completar este treino para a parte superior do corpo que eu fazia com a amiga favorita da América, Jennifer Aniston. Com sua série de 25 minutos de levantamento de peso, uma parte feita sobre uma bola estável, você pode tonificar os braços, os ombros, as costas e os músculos do peito. Não só você verá mais definição quando usar blusas decotadas e sem mangas, como também irá aprimorar a postura e lhe será mais fácil fazer as tarefas cotidianas, como carregar as sacolas do supermercado e os seus filhos.

lado fazendo roscas alternadas — isso foi durante sua época de *Suddenly Susan*. Eu não a via desde o dia em que ela tinha participado de uma de minhas sessões de treinamento no programa dos Zappas, como convidada-surpresa!

Quando fui à casa de Jennifer em Hollywood, fiquei impressionada com o estilo despretensioso. Era relativamente pequena e modesta, decorada num estilo não convencional, com muitas cores. A casa ficava na encosta de uma montanha, com uma ampla vista da baía de Los Angeles. Jennifer tinha transformado um dos quartos em escritório e lugar para treinar, com uma esteira e alguns *dumbbells*. (Depois, ela acrescentou um elíptico, um banco flexor e um *step*.) Pode parecer clichê, mas ela tem mesmo um jeito simpático e amigo. É de convivência muito fácil e logo me pôs à vontade. Além disso, como você deve ter notado em *Friends*, ela tem um grande senso de humor.

Nos nossos treinos, Jennifer usava sempre um moleton fino com camiseta regata. Pegava o cabelo estilo "Rachel", que logo ficaria famoso no mun-

Fitness Feng Shui

Não que eu seja adepta do feng shui, mas acredito que um ambiente convidativo para treinar pode fazer maravilhas para sua motivação e seu nível de energia. Imagine só: se a sua bicicleta ergométrica ficasse num canto escuro e abafado do porão, será que você iria até lá para usá-la? Provavelmente não. Mas se você criar um espaço confortável e atraente para se exercitar, é mais provável que não fuja dos treinos. Procure decorar as paredes com gravuras inspiradoras e cores estimulantes. Algumas pessoas precisam de música e distração para manter a disposição para o treino diário. Se é o seu caso, procure levar uma TV ou toca-CD para a sala. Tenha por perto seus CDs favoritos ou grave um com as músicas para dançar que prefere. Ou siga o conselho "essenciacional" de Sarah Jessica Parker, uma de minhas primeiras clientes. Ela tem incensos e velas aromáticas no local em que se exercita, escolhendo fragrâncias que elevam seu nível de energia e seu humor. (Seu marido, o ator Matthew Broderick, diz que uma das coisas de que mais gosta em Sarah é seu talento para fazer tudo cheirar tão bem!) Como somos todas diferentes, descubra o que mais funciona para você. Ao criar um espaço aconchegante, você vai ficar ansiosa para treinar, em vez de procurar desculpas para fugir do treino!

do todo, e fazia um rabo-de-cavalo. Fora isso, usava sempre os Nikes mais modernos. Na verdade, ela me chamou a atenção para um novo tênis chamado Nike Air Rift, que tem um fecho de velcro muito estiloso e a ponta fendida. O de Jennifer era preto e vermelho, mas você pode encontrar em outras cores. Gosto tanto desse tênis que tenho três pares no armário! Quando saio pela cidade com um deles, eu me sinto na moda como uma estrela de televisão e recebo cumprimentos e olhares elogiosos.

Quanto às metas de boa forma, Jennifer queria ficar mais enxuta e melhorar sua forma geral. Embora fosse bem forte, tinha que treinar de modo mais balanceado. Como muita gente, tendia a fazer as mesmas atividades o tempo todo. Minha tarefa era tirá-la da rotina e estimulá-la a exigir um pouco mais do corpo. Não era para motivá-la que ela precisava de mim, mas para lhe dar um pouco de inspiração e orientação. Estava sempre disposta e pronta para fazer qualquer exercício que eu tivesse programado para ela. No final de cada treino, estava sempre entusiasmada para marcar o treino seguinte.

À medida que ficava mais forte e mais em forma, seu corpo parecia cada vez mais esculpido e, de repente, todo mundo falava sobre isso. (Até hoje me perguntam o tempo inteiro como ela conseguiu aquele corpo. *O tempo inteiro*!) Especialmente a parte de cima do corpo, que é motivo de inveja para mulheres do mundo inteiro. Querem saber como ela conseguiu aqueles braços *sexy* e tonificados e aqueles ombros bem-formados. Em parte, é porque ela chama a atenção para essa parte do corpo usando vestidos e *tops* decotados e sem mangas. Basta ver alguns episódios de *Friends* e fotos feitas por *paparazzi* em lugares da moda de Hollywood!

Embora os treinos constantes tenham contribuído significativamente para a transformação física de Jennifer, as mudanças alimentares também tiveram um papel importante. Quando eu a conheci, ela consultava uma nutricionista para aprender mais sobre nutrição. Pouco depois, começou a fazer a dieta *The Zone*, desenvolvida pelo Dr. Barry Sears, que é baseada no controle do hormônio insulina. A meta é manter o nível de insulina numa determinada "zona" — nem alta nem baixa demais — ao longo do dia. Para isso, é preciso equilibrar a ingestão de proteínas e carboidratos, que tem um forte impacto na produção de insulina. Para permanecer na zona, é preciso também comer a cada quatro ou cinco horas, com fome ou não.

Embora eu não defenda dietas como essa, tenho algumas amigas e clientes, incluindo Jennifer e Cindy Crawford, que experimentaram a dieta

Camarão Perfeitamente Pochê com Molho Verde das Deusas

Hollis Wilder costuma preparar esta refeição saborosa para Debra Messing, Megan Mullally e outras deusas do *set* de *Will & Grace*. É um prato com pouca gordura e muito sabor, com uma combinação celestial de ervas e temperos. Além disso, como é servido frio, pode ser preparado com antecedência e guardado na geladeira ou num recipiente hermético.

Faz 4 porções

1 dente de alho pequeno
1/2 xícara de maionese com baixo teor de gordura
1/2 xícara de salsa picada
1/3 de xícara de cebolinha picada
1/3 de xícara de alho-porro picado (só as partes mais claras)
1 1/2 colher de sopa de estragão fresco, picado
1 filé de anchova em lata
1 colher de chá de vinagre de arroz
Sal e pimenta

1 colher de sopa de sal kosher
1/2 quilo de camarão jumbo cru, com casca (uns 20)
Pimenta moída na hora a gosto

Molho: corte o alho em fatias finas no processador de alimentos. Acrescente a maionese, a salsa, o alho-porro, a cebolinha, o estragão, a anchova e o vinagre. Misture até o molho ficar homogêneo e verde-claro. Tempere com sal e pimenta a gosto. Transfira para uma molheira. Cubra e deixe na geladeira até ficar frio. (O molho pode ser preparado com dois dias de antecedência. Mantenha refrigerado.)

Camarão: Encha duas tigelas com água gelada e reserve. Ponha uma panela bem grande com água para ferver em fogo alto. Acrescente 1/2 colher de sopa de sal Kosher e mantenha a água em ebulição. Numa tigela grande, esfregue o camarão com a 1/2 colher de sal restante. Ponha os camarões na água fervente até que cozinhem: cerca de 3 minutos (a água não volta a ferver). Jogue imediatamente num escorredor e depois divida os camarões entre as tigelas com água gelada, até que esfriem completamente. Escorra bem. Descasque e limpe os camarões, deixando os rabos intactos. Arrume os camarões numa bandeja. (Eles podem ser preparados com quatro dias de antecedência. Mantenha refrigerado.) Sirva o camarão com o molho.

The Zone e adoraram os resultados. Mas preciso dizer que nem todo mundo tem sucesso com esse tipo de plano alimentar. Há quem realmente perca peso com dietas da moda, como a *The Zone*, mas isso também exige dedicação. As orientações são rígidas, sendo difícil segui-las a longo prazo. Assim, muita gente acaba voltando aos antigos hábitos alimentares e ganhando peso de novo. Não estou tentando dissuadi-la de experimentar um plano que pode funcionar para você. Mas, antes de aderir, fique atenta às desvantagens potenciais. Lembre-se: para fazer mudanças permanentes, você precisa de um plano inteligente de dieta e exercício, que possa manter pelo resto da vida.

Ao longo dos anos, Jennifer conseguiu manter a sua decisão de comer direito, e isso aparece. Para mim, ela é o exemplo perfeito de como mudar o corpo com uma dieta saudável e exercício regular. Mas ela não teria sucesso se tivesse alterado seus hábitos por algumas semanas ou meses e depois parado. Não há soluções rapidinhas. Além disso, as mudanças não acontecem da noite para o dia e, assim, Jennifer teve que ser paciente. Sua prioridade era melhorar a força e a boa forma, e não a aparência. Como resultado final, ela perdeu gordura e ganhou músculos, produzindo aquele corpo enxuto, tonificado e altamente esculpido que tem hoje.

Quanto aos tão falados braços, o Programa de Exercícios da Rachel para Deixar a Parte Superior do Corpo *Super Sexy* é parte essencial da equação. Se fizer esses exercícios uma vez por semana, como parte do seu plano semanal, você vai cuidar de todos os pontos importantes da parte superior do seu corpo. Vai esculpir e definir a frente dos braços, livrando-se ao mesmo tempo do sacolejo na parte de trás (as "bandeiras de carne", como diz Katie Couric). Seus ombros vão ficar mais fortes e mais bem-formados, o que vai contribuir para reduzir visualmente o tamanho da cintura. Você vai fortalecer também o peito e os músculos da parte superior das costas — e ficar *extra-sexy* numa blusa decotada ou num vestido frente-única.

Este treino para a parte superior do corpo inclui movimentos de força tradicionais, com *dumbbells* ou apenas com o peso do corpo como apoio. Alguns são feitos na bola suíça. Ao trabalhar numa superfície instável, você é obrigada a usar músculos estabilizadores do corpo inteiro para manter o equilíbrio, e em especial os músculos centrais, que são muito importantes para o bom equilíbrio e para uma bela postura. Não esqueça: com uma postura ereta, você fica mais bonita. E quando fica mais bonita, você se sente melhor consigo mesma.

Usei estes exercícios com Jennifer e também com outras estrelas de seriados, como Katey Sagal e Christina Applegate, de *Married with Children*,

Desculpas, desculpas!

A desculpa mais comum para não treinar é "Não tenho tempo!" Mas considere: há 168 horas numa semana. Se você dorme 8 horas por noite e trabalha 40 horas por semana, ainda assim restam 72 horas para outras coisas! Se fizer 30 a 60 minutos de exercício por dia, vai usar apenas 4 a 8 horas do seu tempo livre. Parece que é um investimento pequeno para uma vida de compensações saudáveis. Você não concorda?

Queen Latifah (em seus dias de *Livin' Single*) e Nancy Travis, de *Becker*. Usei também com as atrizes Jamie Gertz e Candice Bergen. Você pode fazer essa rotina de 25 minutos enquanto vê seu seriado favorito das noites de terça-feira — ou uma reprise de *Friends* na TV a cabo! Vamos ser honestas: todo mundo vê pelo menos 30 minutos de televisão por semana. Então, por que não transformar esse prazer culposo num tesouro sem culpa fazendo estes exercícios enquanto vê televisão? Assim, eles vão se encaixar com facilidade na sua vida — com uma grande probabilidade de ficar!

Programa de Exercícios da Rachel para Deixar a Parte Superior do Corpo Super Sexy

O PLANO

Faça este treino uma vez por semana, às terças-feiras. Para resultados rápidos e visíveis, você vai usar uma técnica eficaz chamada *superset,* que consiste em fazer exercícios seqüencialmente, para trabalhar diferentes grupos musculares, sem descansar entre um e outro. Por exemplo, você vai fazer uma rosca concentrada (para fortalecer a parte da frente dos braços) e imediatamente depois uma elevação de ombros (para trabalhar os ombros). Como você não pára de se mover (já que não descansa entre as séries), a freqüência cardíaca se mantém elevada, para um maior gasto calórico.

Antes de começar, reserve alguns minutos para aprender a equilibrar o corpo em cima da bola suíça. Sente-se no centro da bola com os joelhos dobrados, os pés afastados na largura dos ombros, os braços ao lado do corpo. Mantenha o peito erguido e o umbigo para dentro. A coluna deve ficar numa posição natural: não arqueie as costas. Quando você encontra seu equilíbrio, fica fácil manter a estabilidade durante os exercícios.

Do que Você Vai Precisar

- Bola suíça
- *Dumbbells* (você vai usar *dumbbells* "leves" e "pesados" neste treino. Se nunca fez treino de força, use *dumbbells* de 1 a 2 quilos como *dumbbells* leves e de 3 quilos como pesados. Se você já faz algum treino de força, use *dumbbells* de 2 a 3 quilos como leves e de 4 quilos como pesados. Se não sentir os músculos cansados nas úl-

timas repetições, passe para *dumbbells* mais pesados, contanto que consiga manter a postura.)

- Cadeira
- Toalha ou colchonete (opcional)

Aquecimento

Hula — na Bola. Sente-se na bola com os joelhos dobrados, os pés apoiados no chão, o peito erguido e o umbigo para dentro. Ponha as mãos nos quadris. Respire fundo, balançando lentamente os quadris de um lado para o outro. Faça 10 vezes. Depois, balance os quadris para a frente e para trás. Faça 10 vezes.

Marcha Sentada — na Bola. Sentada na bola com o corpo ereto, expire dando passos para a frente, de modo que a bola role pelas suas costas, da base até a nuca. Mantenha o umbigo para dentro. Continue até que a parte superior das costas, a nuca e os ombros estejam totalmente apoiados na bola. Faça uma pausa, enrole ligeiramente o torso para a frente e dê passos para trás, voltando à posição ereta, sentada na bola. Faça 5 vezes.

Extensão Acima da Cabeça — na Bola. Sentada na bola com o corpo ereto, expire estendendo os dois braços acima da cabeça. Respire profundamente, estendendo os braços em direção ao teto. Mantenha a posição durante 5 segundos. Depois, alterne os braços, estendendo o esquerdo por um segundo contado, depois o direito. Continue alternando, num total de 20 vezes.

Quando terminar estes três movimentos, você estará pronta para começar o treino.

O Treino

1. a) Rosca Direta — na Bola. Segurando um *dumbbell* pesado em cada mão, sente-se ereta na bola, com os braços ao lado do corpo e as palmas das mãos voltadas para dentro. Mantenha o peito erguido e o umbigo para dentro. Ao expirar, dobre lentamente os cotovelos para levar os *dumbbells* em direção aos ombros. Ao mesmo tempo, gire os antebraços, de modo que as palmas das mãos estejam voltadas para cima no ponto mais alto do movimento. Ao inspirar, baixe lentamente os *dumbbells* para a posição inicial, voltando as palmas das mãos para dentro. Faça de 8 a 10 vezes e comece imediatamente o outro exercício. *Trabalha os bíceps (frente dos braços) e os músculos centrais (abdominais e base das costas).*

b) Levantamento para Trás — na Bola. *Pode ser que você consiga fazer este exercício com os dumbbells pesados.* Se for difícil demais, use os leves. Segurando os *dumbbells*, sente-se ereta na bola, com os braços ao lado do corpo, as palmas das mãos voltadas para dentro. Mantenha o peito erguido e o umbigo para dentro. Com os braços retos e junto ao lado do corpo, expire, levando-os para trás, o máximo que puder, dobrando-se ligeiramente para a frente, nos quadris. Faça uma pausa, depois baixe os braços para a posição inicial. Faça 8 vezes. *Trabalha a parte de trás dos ombros, os tríceps (parte de trás dos braços) e os músculos centrais.*

Depois de completar os dois exercícios, descanse durante 30 minutos e repita o *superset*.

2. a) Levantamento Lateral numa Perna. Segurando os *dumbbells* leves, fique em pé com os braços ao lado do corpo, as palmas das mãos voltadas para dentro, o peito erguido, o umbigo para dentro. Mantendo o joelho direito ligeiramente dobrado e o torso ereto, expire, erguendo o joelho esquerdo o máximo que puder, sem se inclinar para a frente e nem para trás. Mantenha essa posição trazendo o umbigo para dentro, em direção à coluna. Com os cotovelos ligeiramente dobrados, expire levantando lentamente os braços para os lados, até a altura dos ombros, de modo que o corpo forme um T. Não trave os cotovelos no fim do levantamento. Ao inspirar, baixe lentamente os braços para a posição inicial, mantendo o joelho esquerdo erguido. Faça 10 vezes e comece imediatamente o exercício seguinte. *Trabalha a parte média dos ombros, os músculos centrais.*

b) Levantamento Frontal numa Perna. Ainda segurando os *dumbbells* leves, inverta as pernas, de modo a se equilibrar na perna esquerda, com o joelho direito erguido. Os braços ficam ao lado do corpo, as palmas das mãos voltadas para dentro, o peito erguido, o umbigo para dentro. Mantendo os cotovelos ligeiramente dobrados, expire, levantando lentamente os *dumbbells* para a frente, até a altura dos ombros. Ao inspirar, baixe lentamente os *dumbbells* até a posição inicial. Faça 10 vezes. *Trabalha a parte da frente e de trás dos ombros, os músculos centrais.*

Depois de completar os dois exercícios, descanse durante 30 segundos e repita o *superset*.

3. a) Saco de Boxe — na Bola. Sente-se ereta na bola, com os braços ao lado do corpo, as palmas das mãos voltadas para dentro. Mantenha o peito erguido e o umbigo para dentro. Visualize um saco de boxe à sua frente. Ao expirar, dê um soco cruzado no saco imaginário, com o punho direito. Ao inspirar, volte à posição inicial; ao expirar, puxe o braço direito para trás, dando um soco cruzado com o punho esquerdo. Continue de maneira rítmica, um soco depois do outro. Faça 20 vezes (10 socos com cada mão) e comece imediatamente o exercício seguinte. *Trabalha os músculos centrais e alguns músculos do ombro.*

b) *Chest-Press* — na Bola. Segurando os *dumbbells* pesados, sente-se ereta na bola e dê alguns passos à frente, até ficar numa posição supina, com os ombros e a cabeça apoiados na bola. Erga os quadris, de modo que o corpo fique parecendo uma mesa. Contraia os glúteos e leve o umbigo para dentro, em direção à coluna. Dobre os braços para cima e apóie os *dumbbells* nos ombros. Com os punhos retos, expire ao levantar os *dumbbells* diretamente acima dos ombros, até que os braços fiquem retos, mas não travados. Baixe lentamente os *dumbbells* para a posição inicial. Faça 10 vezes. Quando acabar, dê alguns passos para trás para voltar à posição sentada e ereta, segurando os *dumbbells* junto aos ombros. Ou, para ficar mais fácil, ponha os *dumbbells* no chão, um por vez, antes de voltar à posição sentada. *Trabalha o peito, a parte frontal dos ombros e os músculos centrais.*

Depois de completar os dois exercícios, descanse durante 30 segundos e então repita o *superset*.

4. Extensão do Tríceps — de Joelhos. Segurando um *dumbbell* leve na mão direita, fique em pé à frente da cadeira, com a perna direita ligeiramente à direita dela. Ponha o joelho esquerdo e a mão esquerda sobre o assento da cadeira, depois incline-se para a frente de modo que as costas fiquem retas. (Pode ser que você precise afastar o pé direito para o lado para que as costas fiquem retas.) Com o umbigo para dentro, erga o cotovelo direito para trás, até que o braço fique quase paralelo ao chão. Ao expirar, endireite o braço direito, usando o músculo posterior para levantar o *dumbbell* para trás. Ao inspirar, dobre o antebraço direito para baixar o *dumbbell* à posição inicial, sem mexer o braço. Faça 10 vezes. Descanse durante 30 segundos, depois repita com o mesmo braço. Inverta os braços e repita. *Trabalha os tríceps.*

5. Remada de um Braço — de Joelhos. Comece na mesma posição do exercício anterior (Extensão do Tríceps), segurando um *dumbbell* pesado na mão direita. Deixe o braço direito pender junto ao lado direito do corpo. Ao expirar, dobre o cotovelo direito para erguer o *dumbbell* em direção à axila, até que o cotovelo esteja ligeiramente mais alto do que as costas. Mantenha o cotovelo junto ao torso, apontando diretamente para trás. É como se você estivesse fazendo funcionar o motor de um cortador de grama. Faça uma pausa, então inspire, baixando lentamente o *dumbbell* à posição inicial. Faça 10 vezes. Faça uma pausa, depois repita com o mesmo braço. Inverta os braços e repita. *Trabalha a parte média e a parte de cima das costas e a parte de trás dos ombros.*

6. Miniflexões de Braços com Joelhos Dobrados. De joelhos, incline-se para a frente e ponha as mãos no chão, afastadas um pouco mais do que a largura dos ombros, os braços e os joelhos sustentando o peso do corpo. Contraia os abdominais e os glúteos para formar uma linha reta da cabeça aos joelhos. Com as costas retas e o umbigo para dentro, expire dobrando lentamente os braços para baixar o peito até que os braços fiquem paralelos ao chão (isso deve levar 2 segundos). Pulse ligeiramente para cima e para baixo (como uma miniflexão de braços) por 4 segundos. Use o peito e os músculos dos braços para voltar à posição inicial (isso deve levar 2 segundos.) Repita 3 vezes. Se não conseguir fazer as pulsações, ou miniflexões de braços, faça 8 flexões de braços tradicionais e, em cada uma, procure manter a posição durante uma pulsação. *Trabalha o peito, os ombros, os tríceps e os músculos centrais.*

7. a) Mesa. Sente-se no chão com os joelhos dobrados, os pés afastados na largura dos quadris, as mãos no chão atrás de você, com os dedos apontando na sua direção. Com o umbigo para dentro, expire erguendo os quadris até que o torso fique paralelo ao chão, como o tampo de uma mesa. Mantenha o pescoço relaxado, mas não o deixe pender. Imagine um copo de martini no meio da barriga — não deixe derramar! Respire profundamente, segurando a posição por 15 segundos. *Trabalha os músculos centrais, os tríceps, os glúteos e os ombros.*

b) Postura em T. Role sobre o lado esquerdo e deixe as pernas retas, os pés um em cima do outro. Erga a cabeça e os ombros e ponha a mão esquerda diretamente abaixo do ombro. Erga os quadris para formar uma linha reta, da cabeça aos pés. Ao expirar, estenda o braço direito para cima, de modo que o corpo pareça um T. Respire profundamente, mantendo a posição por 15 a 30 segundos, ou pelo tempo que conseguir, sem perder a postura. *Trabalha os músculos centrais, os quadris, os braços e os ombros.*

Depois de completar os dois exercícios, descanse durante 30 segundos e depois repita o *superset*, desta vez fazendo a Postura T sobre o lado direito. Termine fazendo a mesa mais uma vez, se quiser.

8. Vôo Reverso — na Bola. Ponha os *dumbbells* leves no chão, junto à bola suíça. Ajoelhe-se à frente da bola e incline-se sobre ela, rolando um pouco para a frente, de modo que a barriga fique apoiada na bola e as pernas fiquem retas, com o peso descansando sobre os dedos dos pés. O corpo deve formar uma linha reta da cabeça aos calcanhares. Agora, segure um *dumbbell* em cada mão, deixando que eles descansem no chão. Com as costas retas e os cotovelos ligeiramente dobrados, expire e junte as omoplatas, erguendo os *dumbbells* para o lados, um pouco acima do nível dos ombros. Ao inspirar, relaxe as omoplatas, baixando os *dumbbells* para a posição inicial. Faça 10 vezes. Descanse durante 30 segundos, depois repita. *Trabalha a parte posterior dos ombros, a parte de cima das costas e os músculos centrais.*

9. Rosca Concentrada — na Bola. Segurando um *dumbbell* pesado na mão direita, sente-se ereta na bola com as pernas um pouco mais afastadas do que a largura dos ombros. Com as costas retas e o umbigo para dentro, incline-se para a frente e apóie o cotovelo direito no interior da coxa direita; depois endireite o braço direito para baixar o *dumbbell* em direção ao chão. Ao expirar, erga lentamente o *dumbbell* em direção ao ombro, com a cintura reta. Faça uma pausa e depois inspire, voltando à posição inicial. Faça duas séries de 10 com o braço direito, depois mude de lado e repita. *Trabalha os bíceps e os músculos centrais.*

10. Encolher os Ombros. Segurando *dumbbells* pesados, fique em pé com os pés juntos, peito erguido, umbigo para dentro, braços ao lado do corpo. Leve os ombros para trás e para baixo, o máximo possível sem forçar. Com as costas retas, expire, levando os ombros em direção às orelhas. Ao inspirar, volte lentamente à posição inicial. Mantenha o movimento muito controlado. Faça 8 vezes. *Trabalha os ombros.*

Desaquecimento - Alongamentos

Soltar os ombros. Em pé e ereta, entrelace os dedos à sua frente, depois vire as mãos para que as palmas fiquem voltadas para baixo. Ao expirar, erga os braços acima da cabeça, com as palmas das mãos voltadas para o teto. Alongue-se para cima ao máximo, mas sem forçar. Respire profundamente, mantendo a posição por 30 segundos. Ao inspirar, volte à posição inicial. Faça 3 ou 4 vezes. *Alonga os ombros.*

Postura com os Dedos Entrelaçados. Ajoelhe-se no chão, depois leve o braço esquerdo para trás e ponha a mão esquerda no meio das costas, com a palma voltada para fora. Ao expirar, estenda o braço direito acima da cabeça. Dobre então o cotovelo e leve a mão direita às costas, descendo em direção à esquerda. Procure entrelaçar os dedos ou tocar as mãos uma na outra. Respire profundamente, mantendo a posição por 30 segundos. Inverta os braços e repita. *Alonga os tríceps, a parte da frente e de trás dos ombros e o peito.*

Prece Reversa. Ajoelhada no chão, leve as mãos para trás e junte-as em posição de rezar, junto às costas, com o peito erguido e o umbigo para dentro. Respire profundamente mantendo a posição por 30 segundos. Solte, depois repita. *Alonga os ombros e o peito; favorece a boa postura.*

Postura Estendida de Criança. Ajoelhada e ereta, sente-se nos calcanhares, depois incline-se para a frente e descanse a testa no chão, com os braços estendidos à sua frente. Deixe o corpo relaxar completamente, respirando fundo: faça o ar entrar pelo nariz e sair pela boca. Sinta o diafragma subir e descer enquanto o ar entra e sai do seu corpo. Deixe que os músculos afundem cada vez mais no chão a cada respiração. Fique nessa posição durante 10 respirações completas, ou pelo tempo que quiser. *Acalma a base das costas; rejuvenesce e descansa o corpo.*

Guaca Falso

Adoro guacamole! Graças a Hollis Wilder, uma das minhas indulgências favoritas ganhou uma versão saudável. Experimente o Guaca Falso com talos de vegetais ou torradinhas integrais. É um lanche com baixo teor de gordura e muito sabor.

300 gr de ervilhas congeladas
1 colher de sopa de óleo de linhaça
1 a 2 colheres de chá de cominho em pó
1 colher de chá de suco de limão
1/2 colher de chá de sal
Pimenta
Algumas gotas de molho Tabasco
1 a 2 colheres de sopa de água

Ponha todos os ingredientes no liqüidificador e bata até a mistura ficar homogênea. Se a consistência não estiver correta, acrescente mais água. Ajuste o tempero a seu gosto.

CAPÍTULO SEIS

Programa de Exercícios de Hidden Hills

... Estrelando Minhas Vizinhas e Eu!

"Antes de entrar para o grupo de Kathy, em Hidden Hills, eu nunca fui de fazer exercício. Sempre fui magra e achava que a única razão para fazer exercícios era perder peso. Então, cheguei aos quarenta e meu corpo começou a mudar. Embora estivesse comendo muito pouco, comecei a ganhar peso e a me sentir com falta de energia. Uma manhã, fui à aula de Kathy e pensei que fosse morrer! O treino de cárdio era difícil demais para mim e eu não tinha força nenhuma na parte de cima do corpo. Mas eu me forcei a voltar todos os dias. Agora, vários anos depois, o exercício é uma parte importante da minha vida, tão natural quanto escovar os dentes. A proposta de Kathy não é devolver-nos a aparência de vinte anos atrás, mas ajudar-nos a ter um corpo saudável e uma auto-imagem saudável. O incrível é que, com quarenta e nove anos, estou em melhor forma e tenho mais saúde do que nunca. Tenho uma resistência que nunca imaginei ser possível, além de muito mais energia e um equilíbrio melhor."

— Belle Schwartz, membro do grupo de atividade física de Hidden Hills.

M*oro em Hidden Hills, uma antiga comu-*nidade rural no contraforte ocidental do Vale de San Fernando, a cerca de quarenta e cinco minutos do centro de Los Angeles e a cerca de quinze minutos de Malibu. É uma cidadezinha interiorana onde se vê, de repente, uma égua branca atravessando a rua como se fosse uma criança a caminho da escola. Se acaso você passar por essa região que eu chamo de lar, vai ver como não parece que está tão perto do centro de Los Angeles. É por isso que Billy e eu gostamos tanto desse lugar.

Quem chega à cidade se vê diante de uma cancela rústica onde se lê HIDDEN HILLS. Há cerca de 650 casas na nossa cidade, que tem pouco mais de 700 hectares. Não há calçadas nem luzes na rua, e nem uma única placa de trânsito. Em quase todas as casas, de estilo rústico, há uma cerca de madeira branca em volta e muita gente tem cavalos, currais e celeiros no quintal.

Essa encantadora área rural é um lugar maravilhoso para criar os filhos e foi em grande parte por isso que a escolhemos. Meus gêmeos de oito anos vão à escola da cidade, que fica a menos de um quilômetro de casa. Como o meu filho de quatro anos ainda fica em casa, eu e outras mães da vizinhança nos revezamos em aulas "Mamãe e eu" para nossos pequenos. Nossos cachorros são os donos do quintal e meu marido e eu esperamos comprar um ou dois cavalos algum dia, como outras pessoas da comunidade.

"Duas coisas me ocorrem imediatamente quando penso nos benefícios dos exercícios que fazemos com Kathy. Em primeiro lugar, por mais difícil que sua aula seja, eu sempre me sinto melhor depois! Em segundo lugar, eu sei que ela dá muita importância ao que estou fazendo e como estou fazendo porque entende os benefícios. Não importa o que acontece por fora, mas se eu sou saudável por dentro. Afinal, beleza e bem-estar andam de mãos dadas!"

— **Nathalie Blossom, membro do grupo de atividade física de Hidden Hills**

Trailer do Treino

Este circuito de 25 minutos de força e cárdio é baseado nas divertidas aulas semanais que eu dou no centro comunitário do subúrbio de Los Angeles onde eu moro, Hidden Hills. Trata-se de um treino energizante e para queimar calorias que foi desenvolvido para aumentar a resistência, a coordenação, o equilíbrio e a flexibilidade. Com esta rotina, definitivamente você sentirá o seu coração bater até suar a camiseta.

Mas Hidden Hills não é feita apenas de cercas, cavalos e celebridades. (Cheguei a mencionar que Will e Jada Pinkett Smith, a Doutora Laura Schlessinger, David Bryan, conhecido como Simbad, o ator e lutador Dwayne "The Rock" Johnson, o comediante Howie Mandel, o baterista Alex Van Halen e Billy Blanks, criador de Tae Bo, todos eles moram na região?) Quando olho à minha volta, vejo um lugar fabuloso para treinar e entrar em forma. É um paraíso para quem gosta de viver ao ar livre, com belas colinas e muitos quilômetros de trilhas para caminhadas e cavalgadas, que ligam todas as propriedades.

Quando nos mudamos para Hidden Hills, há aproximadamente quatro anos, comecei a dar aulas de *fitness* no nosso centro comunitário, três vezes por semana. Achei que era uma ótima maneira de conhecer minhas vizinhas e de ajudar todo mundo a ficar em forma. Como divulgação, fiz um folheto e convidei minhas vizinhas e algumas outras mulheres que conhecia na região. Elas chamaram suas amigas e começamos daí. Como tínhamos um orçamento quase nulo, todo mundo ajudou procurando equipamentos usados para usar nas aulas, como cordas de pular, *steps* e colchonetes.

Vinagrete de Soja e Limão-Galego

Este tempero de salada saboroso, recomendado por Carrie Wiatt — a guru de Hollywood quando se trata de nutrição — é deliciosamente leve. Cada porção — duas colheres de sopa — tem só 20 calorias e 1 grama de gordura. Faço um pote desse tempero no domingo e guardo na geladeira para usar durante a semana. Para um lanche rápido e saboroso, compre um maço de verdura já lavada, acrescente fatias de cenoura, tomate, cogumelos, ou de seus legumes favoritos, e tempere com um pouco de vinagrete e um punhado de nozes. Como proteína, acrescente fatias de frango grelhado ou de atum.

Faz 2 xícaras
Tamanho da porção: 2 colheres de sopa

3/8 de xícara de vinagre de arroz
1/8 de xícara de molho de soja com baixo teor de sódio
1 1/2 colher de chá de óleo de gergelim escuro
1/8 de xícara de suco de limão-galego
3/4 de colher de chá de essência de limão
3/4 de colher de chá de raiz de gengibre picada
1 1/2 dente de alho picado

Numa tigela pequena, misture todos os ingredientes. Pode usar imediatamente ou cobrir e guardar na geladeira por uma semana. Antes de usar, mexa e deixe um pouco na temperatura ambiente.

O Desafio da Colina

Se você mora num lugar montanhoso, aproveite! Andar ou correr encosta acima é ótimo para queimar calorias e esculpir pra valer os músculos da parte inferior do corpo. Pegue o relógio e anote o tempo que leva para subir — e depois para descer. Quando subir de novo essa colina, ou outra parecida, procure superar sua marca anterior. Isso é divertido também na companhia de uma amiga — pode surgir uma competição natural que vai ajudar a melhorar o nível de condicionamento e o físico das duas.

Numa semana comum, havia de duas a doze mulheres, entre vinte e sessenta anos, em cada aula. Com a exceção de Julia Roberts, que às vezes aparece como convidada especial, essas mulheres não são celebridades às voltas com horários de filmagem e sessões de foto. São pessoas comuns, que levam vidas comuns, lutando para ganhar a vida, educar os filhos e cuidar da casa.

Nas nossas aulas de uma hora, fazemos só exercícios cardiovasculares, só exercícios de força ou uma combinação dos dois. Nas belas manhãs ensolaradas do sul da Califórnia, às vezes nos aventuramos para uma caminhada/corrida nas colinas. Um dos meus locais favoritos é Saddle Creek Road, uma colina íngreme, que parece subir quase na vertical.

Às vezes, começo a aula levando todo mundo para uma caminhada em grupo na encosta de Saddle Creek para fazer o sangue circular e o coração bater melhor. É um aquecimento incrível. Quando há uma nova recruta na aula, ela geralmente acha que vai cair morta antes de chegar à metade do caminho. Mas depois de algumas semanas, essa mesma mulher consegue subir a colina inteira sem perder o fôlego. É isso o que eu chamo de progresso!

Depois de fazer a primeira aula em Hidden Hills, uma das minhas vizinhas, de quarenta e poucos anos, ficou abalada ao descobrir como era fraca, principalmente na parte superior do corpo. Ela caminhava para manter o peso, mas há muito tempo não fazia um exercício formal. Com isso, não conseguia fazer uma única flexão de braços. Percebi que ficou desanimada e prometi que faríamos um trabalho gradual. A cada aula, ela fazia um pouquinho mais. Eu lhe dizia para persistir, que ficaria surpresa com os resultados. Dito e feito: três meses depois, ela conseguia fazer três séries de oito flexões de braços. Muita gente teria desistido, mas ela não desistiu. E agora

Boa Forma em Família

Como mães e donas de casa, muitas vezes pomos as necessidades da família à frente das nossas. Mas, quando negligencia o seu corpo, você presta um desserviço a si mesma e também à sua família. Ao se manter saudável e em forma, você será uma filha, uma irmã, uma mãe e uma mulher melhor. Você terá mais energia e bom humor. E cuidar de si mesma é se assegurar de que vai estar por perto quando seus filhos terminarem a faculdade e começarem a própria família.

Mas a pergunta é: como você vai arrumar tempo para treinar se os seus filhos estão sempre precisando de você? É fácil: faça atividades com eles. Ficar com a família e treinar ao mesmo tempo pode ser gratificante em vários níveis. Talvez você possa dividir com seus filhos o amor que tem por algum esporte. Ou vocês podem apenas rir e aproveitar a companhia uns dos outros dando uma volta de bicicleta pela vizinhança. Seja qual for a atividade escolhida, seus filhos vão aprender com esse exemplo. É provável que fiquem inspirados ao vê-la saindo para uma caminhada ou para uma partida de tênis, ou suada e luminosa depois de um belo treino.

Quando eu era criança, meus pais me estimulavam a ser ativa e, com isso, instilaram em mim o amor pelo movimento e me ensinaram os benefícios do exercício. Hoje, Billy e eu procuramos fazer o mesmo pelos nossos três garotos. Queremos que eles entendam que exercício é uma coisa de que o corpo precisa. Enfatizamos sempre que se forem fortes e flexíveis, a vida vai ser melhor. Todos os dias, pergunto a cada um deles: "O que você fez hoje pelo seu corpo?"

Introduzir uma filosofia semelhante na sua vida familiar vai fazer bem para seus filhos e para você também. Para dar um bom exemplo a seus filhos, evite a tentação de deixar um ou outro treino pra lá — e ensine a eles uma valiosa lição sobre a importância da boa forma.

dá para ver que valeu a pena. Ela está mais positiva, confiante e com os braços muito mais definidos.

Em aulas de escalada ou mergulho, uma das primeiras coisas que se aprende é praticar em dupla: nunca escale ou mergulhe sem um parceiro. Mas eu acho que o sistema de dupla não serve apenas para esportes radicais. Treinar regularmente com uma amiga ou pessoa da família não é uma necessidade, mas é uma maneira fantástica de entrar em forma. Quem tem com quem treinar é menos vulnerável a perder ou abreviar uma sessão de exercícios.

Além disso, como o meu grupo de Hidden Hills bem sabe, treinar em dupla ou em grupo oferece uma outra vantagem: a atividade física fica muito mais divertida! E quem não precisa de um pouco mais de diversão na vida?

Veja de um outro ângulo: temos sempre tantas coisas a fazer que mal temos tempo para os amigos. Então, se você se encontrar com eles para fazer uma atividade física ou freqüentar aulas em grupo, vai matar dois coelhos com uma só cajadada: pôr a conversa em dia e queimar calorias. Além disso, essa é uma boa oportunidade de trocar alguns vícios por uma atividade saudável. Em vez de se encontrar para beber alguma coisa, que tal se encontrar para caminhar ao pôr-do-sol? Se você se chateia fazendo exercícios, arrume uma companhia para caminhar porque conversando o tempo voa. Ou arrume algumas amigas para fazerem juntas o programa deste livro. Assim, uma pode ajudar a outra nos movimentos novos e trocar palavras de estímulo nos momentos difíceis. Se não der para coordenar os horários com as suas amigas, inscreva-se numa aula em grupo. Cercada de colegas, você terá menos probabilidade de desistir e mais probabilidade de se empenhar.

Eu sei que arranjar tempo para a atividade física pode ser um desafio. Todas nós temos obrigações, compromissos, prazos e mil outras coisas. É por isso que eu adoro os nossos treinos em Hidden Hills. Como sou a professora, não posso virar para o lado e desligar o despertador. Há sempre um punhado de mulheres à minha espera para que eu conduza a aula. O engraçado é que elas acham que sou eu que forneço a motivação. Mal sabem elas que também me ajudam a me manter em forma. Em algumas manhãs, é o meu desejo de inspirá-las que me faz sair da cama.

Lanche Súbito

Quando eu trabalhava no Laurel Springs Spa de Jane Fonda, Melanie Griffith, uma de nossas hóspedes costumeiras, preparava uma sopa fabulosa, que ainda tenho o hábito de fazer. Eu gosto de tomar essa sopa como lanche da tarde, principalmente quando está frio. Veja como a receita é simples.

Rende 6 porções de 1 xícara

6 xícaras de água
2 cubos de caldo de galinha
5 a 10 dentes de alho descascados
1 folha de louro
Pimenta-de-caiena a gosto
1 1/2 colher de chá de azeite de oliva

Ponha a água numa panela média. Acrescente os cubos de caldo de galinha, os dentes de alho e a folha de louro. Polvilhe a pimenta, até cobrir a superfície da água, e junte o azeite. Deixe ferver em fogo baixo até o alho ficar macio, mexendo de vez em quando. Agora é só se servir!

Além dessas aulas semanais, arranjo tempo para fazer uma rotina de 30 minutos de exercícios com *dumbbells*, uma ou duas vezes por semana. Às vezes, quando estou trabalhando com uma cliente, saímos para correr ou caminhar. Fora isso, eu me exercito "um pouco aqui, um pouco ali". Por exemplo: quando os meus filhos estão fazendo a lição, costumo me deitar no chão e fazer abdominais. Ou faço avanços e agachamentos enquanto espero a água ferver. Em geral, esfrego a banheira, passo o aspirador, lavo o meu carro ou faço algum outro trabalho doméstico. (Esse é um treino que queima calorias pra valer!) Tenho também o hábito de mudar a mobília de lugar, o que me ajuda a produzir força.

Desde que começamos a suar e a levantar peso juntas no centro comunitário, minhas vizinhas já tiveram ótimos resultados com meus treinos de Hidden Hills. É por isso que eu quero dividi-los com você. Eu não posso levá-la até a ensolarada Califórnia para fazer a minha aula ao vivo, mas *posso* lhe ensinar os exercícios para aumentar a sua energia, melhorar o seu equilíbrio e tornar o seu corpo mais firme e mais enxuto. Algumas das freqüentadoras assíduas das minhas aulas já vestem números menores — e você também vai conseguir.

Este é um treino de alta energia. Por isso, sugiro que ponha para tocar uma música de alto astral, que lhe dê vontade de se mexer. Uma boa música é melhor (e certamente mais saudável) para revigorar o corpo do que uma xícara de café expresso. Ponha uma boa música e você vai ver seus pés marcando o ritmo, seus dedos estalando e, mesmo que estiver sentada, seu corpo balançando ao som da batida. Você fica com vontade de dançar — e se está pronta para começar a dançar, está pronta para começar a treinar. Ponha

Recomendações da DJ Kathy

The Dance Collection (Casablanca Records), que inclui "I Feel Love" e "Last Dance", de Donna Summers; *Off the Hook*, de Xscape, com sucessos como "Feels so Good" e "Do You Want To" (Sony Music); *1990s Dance Party* (Sony Music), com canções como "I Like It Like That", com os Blackout Allstars, e "Gettin' Jiggy With It", do meu vizinho Will Smith; e *Dance X-treme* (K-Tel International), que inclui "Gonna Get Back To You", de Maw and Co.'s e "Set Me Free", de Clubland. Dê uma olhada na seção de "diversos" numa loja de discos e descubra sons maravilhosos para animá-la.

seu CD favorito ou sintonize numa estação de rádio a seu gosto. Melhor ainda: faça o seu próprio CD, cheio de músicas divertidas e energizantes.

Muitas vezes eu começo a aula com a canção "September", de Earth, Wind and Fire. Ninguém consegue sentir preguiça com essa música. A atriz Alfre Woodard, que treina comigo sempre que está em Los Angeles, adora ritmos fortes, especialmente *Drums of Passion*, de Babatunde Olatunji. Outro dia ela me disse: "Quando estou sozinha num quarto de hotel, ponho um CD com uma música bem ritmada e pulo, rebolo e me divirto. O importante não é o número de repetições que você faz: o importante é se mexer!"

Programa de Exercícios de Hidden Hills

O PLANO

Faça este treino uma vez por semana, às quartas-feiras. **Cárdio e força**: para queimar calorias e esculpir os músculos, você vai fazer uma combinação de exercícios no estilo atlético, movimentos tradicionais com peso e movimentos de yoga. Além disso, vai pular corda. Procure passar rapidamente de um exercício para o outro, de modo que o coração não tenha oportunidade de diminuir o ritmo.

Do que Você Vai Precisar

- Baralho
- Corda de pular
- Relógio com *timer*
- Cadeira
- *Dumbbells* leves (1 a 2 quilos)
- Travesseiro (opcional)
- Bola suíça
- Toalha ou colchonete (opcional)

Aquecimento

Antes de cada treino, faça meu aquecimento favorito, o *Fitness Minute Warm-up*, que talvez você já tenha visto no *Today*. Essa rotina energizante faz o sangue circular, o coração bater forte e deixa os músculos prontos para se mexer.

Joelho no Cotovelo. Em pé, com os pés juntos, expire ao erguer o joelho esquerdo em direção ao peito, levando ao mesmo tempo o cotovelo direito para tocá-lo. Volte à posição inicial e repita com o outro joelho e o outro cotovelo. Faça 10 vezes.

Jumping Jacks. Em pé, com os pés juntos e os braços ao lado do corpo, expire ao pular, afastando as pernas um pouco mais do que a largura dos ombros. Ao mesmo tempo, balance os braços para os lados e para cima. Pule de volta à posição inicial. Faça 10 vezes.

Chutes com a Perna Reta. Em pé, com os pés juntos, expire ao dar um chute à frente com a perna direita reta e, ao mesmo tempo, levar a mão esquerda em direção ao pé direito. Mantenha as costas retas e não se incline para a frente. Volte à posição inicial e repita com a outra perna e a outra mão. Faça 10 vezes.

Passo da Tesoura. Em pé, com o pé esquerdo à frente, expire ao pular e dar uma tesourada com as pernas, de modo que os pés se afastem um do outro, o direito à frente e o esquerdo atrás. Agora, pule rapidamente e inverta os pés, de modo que o esquerdo fique na frente e o direito atrás. Movimente os braços no sentido contrário. Faça 10 vezes.

Toque o Pé e Bata Palmas. Em pé, com os pés juntos, expire levando as mãos para baixo para tocar o chão (dependendo do seu grau de flexibilidade, você só vai conseguir tocar os tênis ou as canelas), mantendo os joelhos ligeiramente dobrados. Ao inspirar, levante-se e bata palmas em frente ao peito. Ao expirar, erga os dois braços acima da cabeça. Baixe os braços e bata palmas de novo, em frente ao peito. Faça 10 vezes, em ritmo acelerado.

Murros no Céu. Em pé, com os pés afastados na largura dos quadris e os punhos fechados, leve a mão direita em direção ao teto, como se desse um murro. Baixe o braço e repita, agora com a mão esquerda. Faça 10 vezes.

Repita os seis movimentos. Agora você está pronta para começar o treino.

O Treino

1. Passadas do Baralho. *Este exercício exige um pouco de espaço. Você vai dar 3 ou 4 passadas para cada lado, e depois voltar. Comece com 5 cartas e aumente gradualmente para 10.* Ponha as cartas no chão, na extremidade esquerda da sala. Fique em pé com as cartas diretamente à sua frente, os pés afastados na largura dos quadris, o peito erguido e o umbigo para dentro. Dobre os joelhos para se agachar e pegue uma carta. Levante, desloque-se para a direita com passadas laterais, pisando primeiro com o pé direito e depois com o esquerdo, até ter completado 3 ou 4 passadas. Agache-se e ponha a carta no chão. Volte em passadas laterais até a pilha de cartas e repita. Continue até que todas as suas cartas estejam da extremidade direita da sala. *Trabalha a parte interna das coxas, aumenta a freqüência cardíaca.*

2. **Agachamento, Flexão e Salto.** Fique em pé, com os pés afastados na largura dos ombros, peito erguido e umbigo para dentro. Ao expirar, dobre os joelhos para se agachar. Agora, leve o peito em direção aos joelhos e apóie as mãos no chão à frente dos pés. Pule com os dois pés para trás, ficando em posição de flexão de braços, ou prancha, de modo que as mãos fiquem na linha dos ombros e o peso do corpo incida sobre as mãos e a parte da frente dos pés. Ao expirar, dobre os cotovelos e baixe o torso em direção ao chão para fazer uma flexão de braços. Inspire e, ao expirar, volte à posição de prancha. Pule então, trazendo os pés em direção às mãos e levante. Faça 10 vezes. *Trabalha os glúteos, os músculos posteriores das coxas, os quadríceps, os ombros, o peito, os tríceps; aumenta a freqüência cardíaca.*

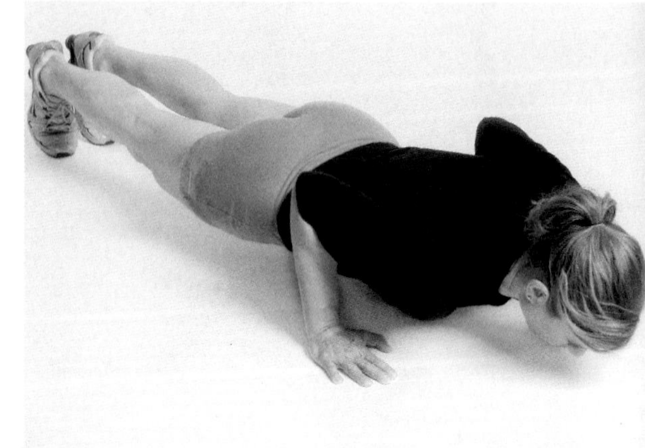

3. Cadeira de Ar. *Este exercício faz parte do treino de qualquer equipe de atletismo. Ele é exatamente o que seu nome diz — sentar-se numa cadeira feita de ar. Ou quase.* Apóie-se de costas numa parede. Dê um passo à frente com os dois pés, de modo a ficar só com as costas apoiadas na parede. Ao expirar, escorregue lentamente para baixo, até que os quadris fiquem nivelados com os joelhos e estes fiquem diretamente acima dos calcanhares. Respire profundamente e contraia o glúteos, mantendo a posição por 60 segundos ou enquanto der. Para passar o tempo, você pode cantar uma música, fazer um telefonema, abrir a correspondência ou lixar as unhas. *Trabalha os glúteos, os músculos posteriores das coxas e os quadríceps.*

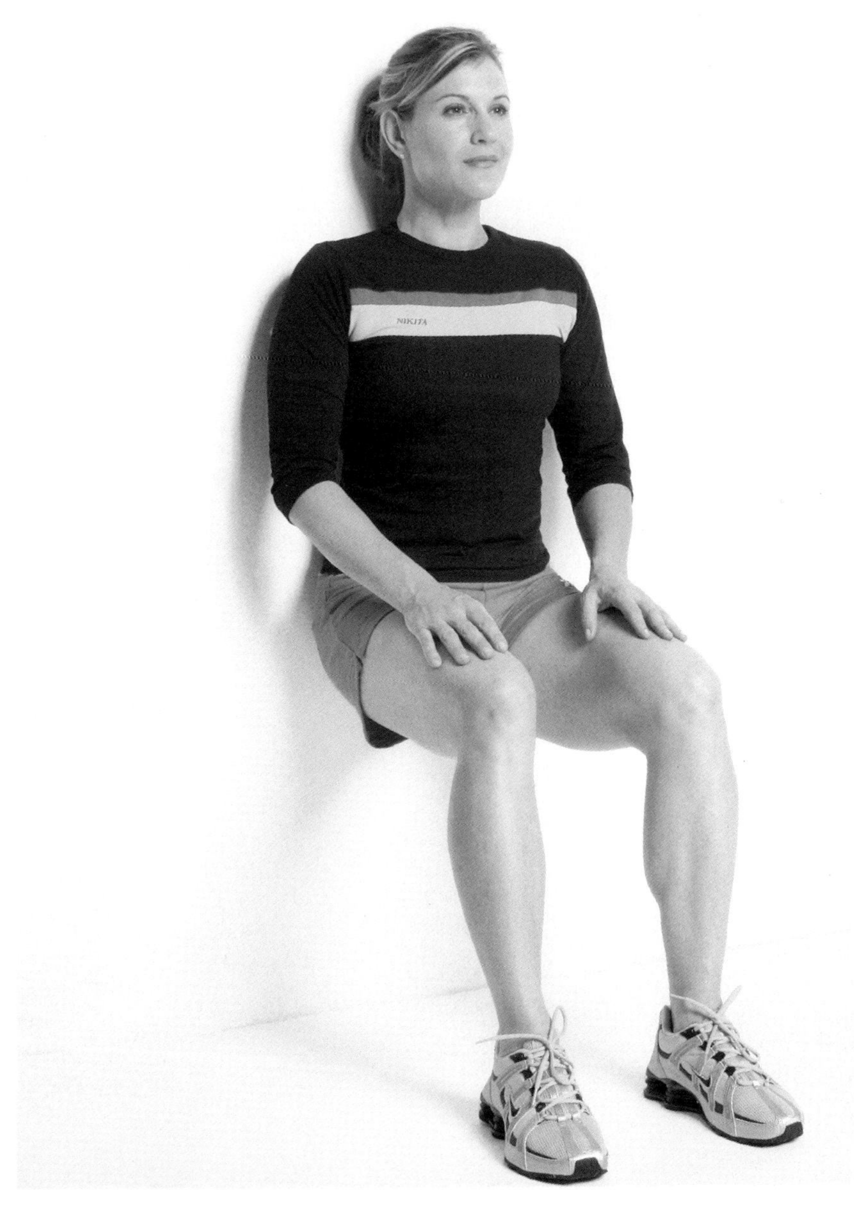

4. Pular corda. *Use o relógio com* timer *ou pule onde possa ver um relógio com ponteiro de segundos. Dê uma olhada nas Dicas Básicas da página 92.* Comece fazendo três intervalos de 1 minuto com 30 segundos de descanso entre eles. Aumente aos poucos para três intervalos de 1,5 minuto e depois três de 2 minutos. *Aumenta a freqüência cardíaca; trabalha os quadríceps, os bíceps e as panturrilhas.*

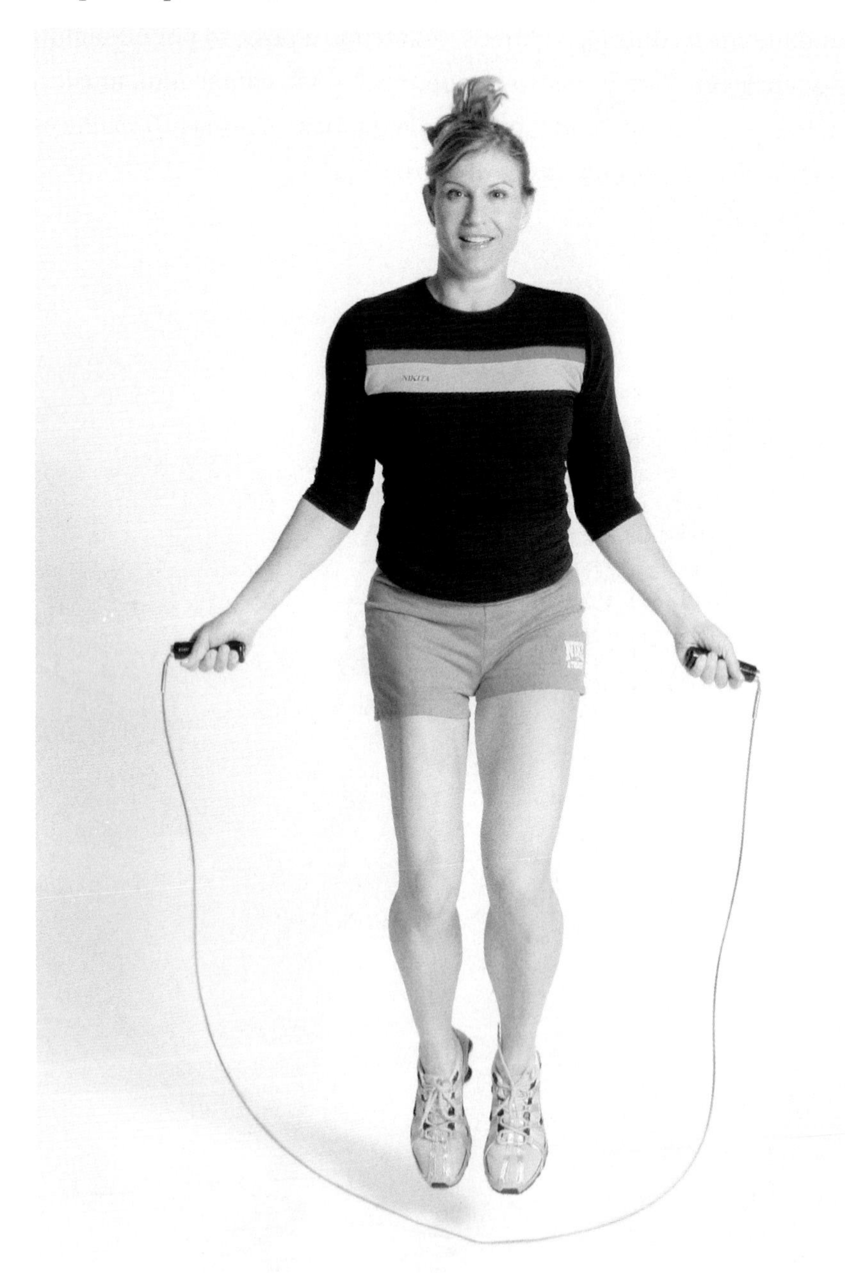

5. a) Afundamento do Tríceps. Sente-se na cadeira com as mãos na borda frontal do assento, os dedos voltados para a frente. (Se não tiver uma cadeira bem forte, use um banco ou a mesinha de café.) Apoiando-se nas mãos, dê alguns passos para a frente, de modo que as nádegas fiquem à frente do assento da cadeira e os joelhos dobrados em ângulo de 90 graus. Ao expirar, desça lentamente em direção ao chão, de modo que os cotovelos se dobrem em ângulo de 90 graus. Inspire e, ao expirar, use os braços para voltar à posição inicial. Faça 10 vezes. *Trabalha os tríceps.*

b) Vôo Reverso. Segurando um *dumbbell* leve em cada mão, sente-se na cadeira e incline o torso para a frente, de modo que o peito descanse sobre os joelhos e os braços fiquem pendurados ao lado do corpo, com os *dumbbells* no chão, próximos a seus pés. (Para ter mais conforto e apoio, ponha no colo um travesseiro dobrado ao meio.) Junte as omoplatas e traga o umbigo para dentro. Você deve formar uma linha reta, da cabeça ao cóccix. Agora, com as costas retas e os cotovelos ligeiramente dobrados, expire erguendo os braços para os lados, ligeiramente acima da altura dos ombros. Faça uma breve pausa e então inspire, descendo à posição inicial. Faça 10 vezes. *Trabalha a parte de cima das costas.*

Quando completar os dois exercícios, descanse de 30 a 60 segundos e repita o *superset*.

6. Prancha com Extensão e Pausa. Comece em posição de prancha, ou flexão de braços com as pernas estendidas, com as mãos na linha dos ombros, os quadris erguidos, as pernas estendidas para trás, o peso do corpo descansando sobre os dedos dos pés. Com o umbigo para dentro, expire ao estender o braço direito para a frente e, ao mesmo tempo, erguer a perna esquerda do chão. Respire profundamente, mantendo a posição por 10 segundos. Volte à posição inicial e repita com a outra perna e o outro braço. Continue repetindo até ter feito 4 de cada lado. *Trabalha os músculos centrais (abdômen e base das costas).*

7. Salto em Distância. Ponha no chão um pedaço de fita adesiva opaca ou uma fita métrica. Fique em pé de frente para a fita, com os pés afastados na largura dos quadris, o peito erguido, o umbigo para dentro. Estenda os dois braços para trás, com os cotovelos ligeiramente dobrados. Ao expirar, salte o mais longe que puder, ultrapassando a fita, e aterrisse sobre os dois pés, com os joelhos ligeiramente dobrados. Marque o ponto em que aterrissou, depois volte e faça de novo. Procure aumentar a distância a cada vez. Comece com 3 saltos e aumente gradualmente até 8. *Trabalha os quadríceps, os músculos posteriores das coxas, os glúteos e as panturrilhas.*

8. a) Costas Retas ao Reverso e Pausa. Sente-se no chão com as panturrilhas apoiadas numa bola suíça, as pernas retas, as mãos apoiadas no chão atrás de você, os dedos apontando para trás. Com o umbigo para dentro e contraindo os glúteos, expire levando os quadris para cima, em direção ao teto. Os ombros devem estar diretamente acima dos pulsos. Faça uma pausa breve, depois volte à posição inicial. Faça 10 vezes. *Trabalha os músculos centrais, os ombros, os glúteos.*

b) Giro da Bola. Sente-se no chão, com as pernas estendidas à sua frente, os joelhos ligeiramente dobrados, o peso descansando nos calcanhares. Segure a bola suíça à frente do peito. Com as nádegas firmemente plantadas no chão, incline-se para trás sobre o cóccix e expire, girando o torso para a esquerda e levando a bola além do quadril esquerdo, até que ela toque o chão. Volte à posição inicial. Faça 10 vezes, alternando os lados. *Trabalha os músculos abdominais (oblíquos interno e externo).*

9. Batida de Pé. Deite-se de barriga para baixo, com os braços dobrados à sua frente, a cabeça apoiada nos antebraços, as pernas levemente afastadas, os dedos dos pés apontados para trás. Mantendo o umbigo para dentro, faça pressão sobre os antebraços ao erguer as pernas do chão e bater os pés como se estivesse nadando, com as pernas levemente separadas. Respire profundamente, fazendo um total de 10 movimentos com cada perna. Descanse durante 30 minutos, depois repita duas vezes. *Trabalha a base das costas, os glúteos e os músculos posteriores das coxas.*

10. Cachorro Voltado para Baixo e Flexão de Braços. *Esta é uma maneira divertida de fazer flexões de braços, incorporando um conhecido movimento da yoga, que ajuda a melhorar a flexibilidade dos músculos posteriores das coxas.* Fique em pé, com os pés afastados na largura dos quadris, o peito erguido, o umbigo para dentro. Ponha as mãos no chão à frente dos pés, o mais perto possível do corpo. Com os calcanhares no chão, ande com as mãos para a frente, até sentir um alongamento na parte de trás das coxas. Respire profundamente, mantendo a posição por alguns segundos. Continue andando com as mãos para a frente até onde der, erguendo os calcanhares, até ficar em posição de flexão de braços com as pernas retas, ou posição de prancha. Faça uma flexão de braços, depois ande para trás com as mãos para voltar à posição inicial. Faça 5 vezes e aumente gradualmente para 10. *Trabalha os ombros, o peito, os tríceps, os tendões das pernas e os músculos centrais.*

Desaquecimento - Alongamentos

Meio Cachorro. Fique em pé a cerca de um metro de uma parede, com os pés afastados na largura dos quadris, o peito erguido, o umbigo para dentro. Incline-se para a frente e ponha as mãos na parede à altura dos ombros, e separadas na largura dos ombros. Ao expirar, deslize as mãos pela parede e flexione o corpo nos quadris até formar um L, com as costas retas como um tampo de mesa e os braços retos. Você deve formar uma linha reta, das nádegas aos ombros e às mãos. Mantenha o umbigo para dentro e o pescoço na linha da coluna. Respire profundamente, mantendo a posição por 30 segundos. Volte à posição inicial e repita. *Alonga os músculos posteriores das coxas, as costas e os ombros.*

Peitos de Frango Empanados com Panko

Para esta versão saudável do frango frito, Hollis Wilder usa farinha de rosca japonesa — chamada panko — misturada com queijo parmesão e sálvia, para criar uma textura crocante. Você vai adorar o sabor! O panko é vendido em grandes supermercados e lojas de artigos orientais. Se quiser um prato com ainda mais "tchã", sirva o frango com molho de churrasco ou de mel e mostarda.

Faz 4 porções

Quatro peitos de frango sem osso e sem pele
1 ovo grande
1 xícara de farinha de rosca japonesa (panko)
2 colheres de sopa de queijo parmesão ralado na hora
1 colher de chá de sálvia fresca picada
1/2 colher de chá de sal
1/8 de colher de chá de pimenta moída na hora
1/4 de xícara de azeite de oliva extra-virgem

1. Lave e escorra os peitos de frango.
2. Bata levemente o ovo numa tigela rasa.
3. Misture a farinha de rosca, o queijo parmesão, a sálvia, o sal e a pimenta. Espalhe num prato.
4. Mergulhe cada peito de frango no ovo, depois aperte-o na farinha temperada, até que fique bem coberto.
5. Numa frigideira grande antiaderente, aqueça bem o azeite de oliva. Acrescente os peitos de frango e deixe fritar em fogo médio, virando de vez em quando, até que estejam dourados e cozidos de todos os lados. Leva aproximadamente 10 minutos.
6. Transfira os peitos para uma bandeja e sirva.

Pernas na Parede. Deite-se de costas, com as pernas estendidas para cima, contra a parede, e as nádegas o mais perto possível da base da parede. (Para ficar nessa posição, sente-se com o seu lado direito junto à parede, depois deite-se para trás e gire os quadris para a direita, estendendo ao mesmo tempo as pernas para cima.) Os braços ficam ao lado do corpo, com as palmas das mãos voltadas para cima. Respire profundamente, deixando o corpo inteiro relaxar e aproveitar o momento. *Promove relaxamento total.*

Alongamento Pretzel. Deite-se de costas, a cerca de 40 cm da parede. Ponha os dois pés na parede, com os joelhos dobrados em ângulo de 90 graus e na linha dos quadris. Cruze as pernas, pondo o tornozelo esquerdo sobre o joelho direito, e expire. Você deve sentir o alongamento no quadril esquerdo e na nádega esquerda. Respire profundamente, mantendo a posição por 30 segundos ou pelo tempo que conseguir. Inverta as pernas e repita. *Alonga a parte externa dos quadris, a parte inferior e superior das costas e a parte posterior dos ombros.*

Se tiver tempo, faça mais uma vez o alongamento Pernas na Parede. Então, termine com a Postura Estendida de Criança.

Postura Estendida de Criança. Comece na posição ajoelhada, ereta. Sente-se nos calcanhares, depois incline-se para a frente e apóie a testa no chão, com os braços ao lado do corpo e as palmas das mãos voltadas para cima. Deixe o corpo relaxar completamente e respire fundo, fazendo o ar entrar pelo nariz e sair pela boca. A cada respiração, deixe que os músculos se soltem ainda mais no chão. Fique nessa posição por 10 respirações completas, ou pelo tempo que quiser. *Acalma a base das costas; rejuvenesce e descansa o corpo.*

7 CAPÍTULO SETE

Programa de Exercícios para as Pernas de uma Linda Mulher ... Estrelando Julia Roberts

Está bem, eu admito: quando Julia Roberts me telefonou, à procura de uma *personal trainer*, depois de ter sido escolhida para fazer *America's Sweethearts*, eu me senti no céu! Embora eu tenha a sorte de trabalhar com muitas das principais atrizes de Hollywood, Julia me parecia ser uma daquelas estrelas que habitam um universo diferente. Como tanta gente, eu era sua fã desde o instante em que ela iluminou a tela com seu sorriso em *Uma Linda Mulher* — e fiquei feliz de ter finalmente uma oportunidade de trabalhar com ela.

De perto, Julia é tão bonita quanto na tela, ou talvez mais. Tem uma beleza natural, com cabelos deslumbrantes e pele perfeita. É também incrivelmente afetuosa, tem um grande senso de humor e transpira felicidade. E *não é*, de jeito nenhum, uma diva de Hollywood ofuscada pela própria imagem. Leva os treinos a sério, deixando o *glamour* em segundo plano e o conforto em primeiro. Em geral, usa uma camiseta e uma calça de moleton, com a cabeleira, que é sua marca registrada, puxada para trás.

Como Julia estava filmando numa locação no Lago Meade, em Nevada, perto de Las Vegas, eu voava para lá três vezes por semana para treiná-la. Como ela ia filmar nessa locação só por uma semana ou duas, achei mais fácil ir e voltar toda vez. Na época, Julia não estava se exer-

"Fazer exercícios com Kathy mudou a minha vida de maneira sutil e consistente. Tenho que admitir que não gosto de malhar, mas adoro perceber como me sinto depois. Realização, clareza, energia, força, alegria. Essas são coisas que dou a mim mesma ao me exercitar e posso senti-las em tudo o que faço. E percebi que, quando não treino, fico cansada e menos concentrada, sentindo-me como se tivesse trapaceado um pouco comigo mesma. No mundo de hoje, parece que todo mundo vive ocupado e com pressa, que há tanto a fazer e tão poucas horas no dia. Mas será que estamos mesmo tão ocupados que não podemos passar um tempinho todos os dias cuidando de nós mesmas?"

— Julia Roberts

Trailer do Treino

Julia Roberts pode ter nascido com pernas longas e bonitas, mas ela sabe que os bons genes não vão mantê-las firmes e tonificadas. Nesta rotina de 25 minutos, você vai fazer alguns dos movimentos favoritos de Julia para esculpir a parte inferior do corpo. São exercícios inspirados na yoga e no Pilates, além de exercícios clássicos de força para fortalecer e alongar os músculos. Faça este treino regularmente e logo vai estar exibindo suas pernas num shortinho — ou numa minissaia *sexy* com salto alto, à la Erin Brockovich.

Molho com Mel para Salada

Um molho para salada que seja saudável, com pouca gordura e realmente saboroso não é coisa fácil de achar. Mas, graças a Hollis Wilder, você pode parar de procurar! Esta combinação de mel, temperos picantes e mostarda, é um acompanhamento maravilhoso para suas saladas favoritas.

Faz 2 1/2 xícaras
Tamanho da porção: 2 colheres de sopa

2/3 de xícara de açúcar
1 colher de chá de mostarda em pó
1 colher de chá de páprica
1 colher de chá de coentro em pó
1/4 colher de chá de sal
1 colher de chá de cebola ralada
1/3 de xícara de vinagre de cidra
1/3 de xícara de mel
1 xícara de óleo de canola ou outro óleo vegetal de alta qualidade

Numa tigela pequena, no processador de alimentos ou no liqüidificador, junte o açúcar, a mostarda, a páprica, o coentro, o sal, a cebola, o vinagre e o mel. Misture bem. Se estiver usando uma tigela, acrescente o óleo devagar, sem parar de bater, até que a mistura emulsifique. Se estiver usando o liqüidificador ou o processador de alimentos, ligue o motor e acrescente o óleo devagar, até que a mistura emulsifique. Pode ser servido imediatamente ou guardado na geladeira por uma semana. Antes de usar, tire da geladeira e mexa.

citando regularmente. Seu horário de filmagem era apertado e dava para ver que ela estava um pouco esgotada. Queixava-se de moleza e queria que eu a ajudasse a ter mais energia. Essa é sempre a minha meta favorita, porque significa que a cliente, como foi o caso de Julia, vai ter resultados imediatos.

Como você pode imaginar, tínhamos uma probabilidade muito maior de encontrar uma máquina caça-níquel do que uma academia bem equipada no meio do deserto de Nevada. Então, ficamos com o básico. No primeiro dia, disse a Julia que precisaríamos de um *step*, de uma corda de pular, de elásticos e de um baralho. ("Um baralho? Dos que se usa para jogar?", ela me perguntou, achando que eu esperava jogar vinte-e-um em vez de treinar.)

Todas as vezes que treinávamos juntas, Julia e eu tentávamos fazer alguma coisa diferente. Incorporei o máximo possível de variações para que o treino fosse sempre divertido e interessante. Para o condicionamento cardiovascular, fazíamos caminhadas, aeróbica com *step* e pulávamos corda. Cada treino de força era planejado para atingir todos os grandes grupos de músculos. Às vezes, Julia queria trabalhar uma determinada parte do corpo, como as pernas, e então eu incorporava alguns movimentos extras para a parte inferior do corpo. Sempre fazíamos alguns minutos de alongamento depois de cada treino, tivéssemos caminhado ao ar livre ou feito uma sessão de exercícios no quarto do hotel.

Ao contrário de outras clientes, Julia parecia ter uma constituição forte desde o início. Então, eu podia exigir bastante dela: mais em alguns dias, menos em outros. Ela gostava especialmente de fazer movimentos como *avanços*, um exercício fantástico que trabalha as coxas, os glúteos, os quadris e as panturrilhas. Algumas de minhas *trainees*, como gosto de chamá-las, conseguem fazer apenas um ou dois avanços no primeiro dia, mas Julia conseguiu fazer vinte. É claro que resmungou um pouco durante a segunda série de dez (como a maioria das pessoas!). Mas ficou feliz no dia seguinte porque as pernas doíam um pouco. Como todo mundo, ela gosta de sentir que seus músculos trabalharam pra valer.

Pode parecer que celebridades como Julia fazem tudo perfeito na primeira tentativa. Mas não é verdade. Quando começamos a treinar juntas, ela às vezes se sentia descoordenada. Achava alguns dos exercícios e alongamentos um pouco complicados no começo, e ria de si mesma quando parecia que seu corpo se negava a ir numa determinada direção. Seja você uma ganhadora do Oscar, uma dona de casa ou uma atleta de verdade, um exercício novo exige algum tempo para ser dominado. Mas Julia aprendia rapidamente, como você também vai aprender. Lembre-se do que dizem: a prática leva à perfeição.

Quando Julia me disse que sentia falta de energia, achei que seria bom fazê-la sair para tomar ar. Então, umas duas vezes por semana, saíamos pa-

Você Tem uma Nova Mensagem!

Muita gente me faz perguntas sobre Julia, achando que eu sei coisas espantosas sobre ela. Mas ela é simples e normal. É ela mesma, por exemplo, que verifica e responde a seus *e-mails*:

PARA: Kathy Kaehler

DE: Julia Roberts

ASSUNTO: Exercício

Você vai ficar contente de saber que fui à yoga regularmente nas últimas semanas... E nos últimos dias treinei com sua fita "Your Best Body Target & Tone"! É uma maneira maravilhosa de passar 40 minutos e, como é você, a fita me anima e parece que estamos treinando juntas.
Julia

ra caminhar nas colinas atrás do hotel. As amigas de Julia (sua cabeleireira, sua maquiadora e sua figurinista) quase sempre iam junto. O Lago Meade é muito bonito. Das trilhas de caminhada, víamos a água cintilante azul-safira e as rochas coloridas à sua volta. O céu era quase sempre azul e sem nuvens. E como era inverno, não sufocávamos de calor.

Em geral, nossas caminhadas duravam cerca de uma hora. Sempre que o hotel desaparecia ao longe, Julia e suas amigas achavam que estávamos perdidas. Alguém sempre dizia: "Kathy, eles vão ter que mandar um helicóptero para procurar a gente!" Só para constar: a despeito dessa falta de fé, nós nunca nos perdemos e ninguém nunca se atrasou para o trabalho.

Nossas caminhadas diárias eram divertidas e sociais, mas também propiciavam um grande treino. Caminhar é uma ótima maneira de melhorar a boa forma cardiovascular, além de fortalecer e esculpir os músculos da parte inferior do corpo. Numa subida, a gravidade cria resistência, de modo que o coração e os músculos têm que trabalhar mais para impulsionar o corpo para a frente. Nossas aventuras ao ar livre eram também uma pausa necessária na atmosfera corrida e muitas vezes estressante do *set* de filmagem. No deserto, numa floresta ou na praia, há algo de calmante e rejuvenescedor no simples fato de sair ao ar livre.

Alpinistas Sociais

Caminhar pelo Lago Meade era uma festa para nós, já que estávamos sempre conversando, rindo e brincando umas com as outras. Toda essa tagarelice era divertida, mas também me ajudava a determinar se Julia e suas amigas estavam se exercitando dentro da freqüência cardíaca desejada. Para descobrir se você está em sua faixa ideal, faça o "teste da conversa" durante seu próximo treino. A qualquer momento, você tem que conseguir falar pelo menos três ou quatro palavras em seguida. Se não conseguir, o treino está puxado demais. Mas se você consegue cantar alguns versos de sua canção favorita sem respirar, então o treino está fraco. Uma sugestão: tente cantar em voz alta "I Say a Little Prayer", uma das músicas de *O Casamento do Meu Melhor Amigo*, um dos filmes de grande sucesso de Julia. Se você não perder nenhuma nota, aumente a intensidade do treino. Não conseguiu passar do primeiro acorde? Vá mais devagar.

No Lago Meade, Julia e eu acertamos em cheio. Então, alguns meses depois, terminada a filmagem de *America's Sweethearts*, ela me pediu para ajudá-la a se preparar para a entrega do Oscar. E não era qualquer cerimônia do Oscar — era 2001, o ano em que Julia foi indicada para o prêmio de melhor atriz, no papel da determinada Erin Brockovich. Minha tarefa era ajudar Julia a estar em sua melhor forma no momento de receber o prêmio. (Pode ser que ela não soubesse que ia ganhar, mas eu sempre achei que ela estaria segurando uma estatueta do Oscar no final da noite.)

Como planejava usar um vestido sem mangas na cerimônia, Julia queria trabalhar mais os braços. Então, acrescentei ao seu programa mais alguns exercícios para a parte superior do corpo. No dia da entrega do Oscar, ela estava ótima no começo do treino. Mas, lá pelo fim, disse que estava começando a sentir borboletas voando no estômago (e nós duas sabíamos que não era por causa da rotina de abdominais que tínhamos acabado de fazer!). À noite, fiquei muito emocionada ao vê-la no palco usando o seu Valentino (que a pôs em muitas listas das mais bem-vestidas), sorrindo e segurando a estatueta dourada. Ela estava deslumbrante — todo o esforço que fez tinha valido a pena. E tenho certeza de que todas aquelas roscas diretas e alternadas a ajudaram a erguer a estatueta do Oscar em sinal de vitória.

Pouco depois da entrega do Oscar, Julia começou a filmar *Onze Homens e Um Segredo*. O filme se passava no elegante Hotel Bellagio, em Las Vegas, e ela queria treinar comigo durante seis semanas. Mas, com três filhos pequenos, eu não podia me afastar de casa por muito tempo. Meu filho mais novo, Walker, tinha pouco mais de um ano! E ficar indo e voltando de Las Vegas durante seis semanas consecutivas não seria nada fácil. Então, levei meus filhos e nossa babá, Blanca, para o Hotel Belaggio comigo. Isso é que é emprego!

Durante a filmagem, Julia ficou hospedada numa vila particular reservada para "convidados especiais". (Seus colegas — George Clooney, Brad Pitt, Matt Damon e Andy Garcia, para falar só de alguns — ficaram em vilas vizinhas.) Sempre que chegava a hora do treino, eu pegava um elevador para um andar especial, onde um mordomo me aguardava e me levava para a vila de Julia. Lá dentro, havia uma enorme sala de estar com arranjos florais extravagantes e um bar completo, cheio de taças de champanhe e garrafas de cristal. Havia também uma sala de jantar formal, uma cozinha completa, vários quartos e uma pequena sala para exercícios, equipada com esteira e bicicleta. Cortinas pesadas enfeitavam as janelas e as portas francesas se abriam para uma piscina particular.

Na minha primeira visita, Julia estava na sala papeando com George, Matt e Andy — e é claro que eu me senti intimidada. Mas ela me apresentou ao grupo não como *personal trainer*, mas como amiga, um gesto que indica o quanto é afetuosa e gentil. Enquanto esperava por ela, observei como os membros do elenco se davam bem. Havia muita risada e muitas piadas, uma dinâmica que aparece no filme. Durante nossas sessões de exercícios, Julia me regalava com histórias dos trotes que seus colegas passavam uns nos outros, como tocar a campainha e sair correndo (esse não é exatamente o tipo de cárdio que recomendo, mas cada pouquinho ajuda).

Uma noite, Julia tinha outros planos e sugeriu generosamente que eu levasse meus filhos à sua vila para assistir alguns filmes. Não, ela não tinha dado uma corrida até a Blockbuster para alugar vídeos, mas tinha cópias de todos os filmes recentes indicados para o Oscar, que ainda estavam sendo exibidos nos cinemas. As fitas tinham sido enviadas aos membros da Academia, como Julia, como cortesia. Então, nós nos acomodamos na suíte de Julia como estrelas de cinema, fingindo que éramos membros da Academia e assistimos *Monsters, Inc.* Foi divertido!

Durante a nossa estada no Bellagio, eu ia muitas vezes ao Wild Oats Market para encher a geladeira de Julia com lanches saudáveis: barras de proteína, sucos de cenoura e outros sucos orgânicos, frutas secas, frutas e hortaliças já limpas. Na época, Julia adorava café e, logo depois do treino, tomava uma xícara grande de café javanês. Conversei com ela sobre as vantagens de reduzir a ingestão de cafeína, como faço em geral com minhas

Hora do Cafezinho: Como Acabar de Vez com Esse Hábito

Eu era viciada em café. Todas as manhãs, eu ia ao 7-Eleven e enchia uns três quartos de uma xícara grande com café aromatizado. Depois completava a xícara com creme não-lácteo (do tipo com gordura e tudo!). Eu gostava desse ritual matutino porque fazia o despertar parecer mais fácil e me dava um pico de energia. Mas me dava também uma sensação de ansiedade que me desagradava e, em geral, algumas horas depois eu estava esgotada. Lá no fundo, eu sabia que o hábito de tomar café não era saudável. Eu não dormia bem, meus horários estavam acabando comigo e eu usava a cafeína para estimular o corpo. Como já disse, a cafeína é droga e vicia. Além de dar uma falsa sensação de energia, ela promove a desidratação e retira cálcio dos ossos. Finalmente, depois de um susto que levei há uns quinze anos, decidi parar. Não consegui parar de vez porque me dava dor de cabeça e, então, fui me libertando aos poucos. Para reduzir lentamente a ingestão de cafeína, comecei a misturar uma pequena quantidade de café descafeinado ao café comum. No começo de cada semana, aumentava a razão de café descafeinado e diminuía a do outro café. Depois de umas seis semanas, estava bebendo apenas o café descafeinado. Fiquei meio mole por uma ou duas semanas, mas meu sistema de energia natural logo entrou em ação. Hoje em dia, recorro ao melhor estimulante natural — o exercício — para me manter energizada. Além disso, bebo muita água e como bastante carboidratos complexos — grãos integrais, frutas frescas e hortaliças — para me revigorar. Como o meu corpo não é mais movido a cafeína, eu durmo melhor e acordo mais descansada. Mas quando sinto muita falta de uma bebida quente e do cheiro dos grãos tostados, vou até o café perto de casa e peço uma caneca com café descafeinado, leite desnatado bem quente e bastante espuma.

clientes. Sugeri que, em vez de pedir um café grande expresso, pedisse um expresso normal, misturado numa xícara grande com café descafeinado. Se completasse a xícara com leite desnatado e espuma, teria também uma dose de cálcio para fortalecer os ossos.

Quando as filmagens de *Onze Homens e Um Segredo* terminaram, Julia e eu tínhamos desenvolvido uma ótima relação de trabalho. Quando voltamos de Las Vegas, ela me convidou para acompanhá-la a Illinois, onde estava filmando um documentário chamado *Velhas Amigas*. Era a primavera de 2002, dois meses antes de ela se casar com o operador de câmera Danny Moder, numa cerimônia de Quatro de Julho secreta, em sua fazenda no Novo México. O documentário era sobre três mulheres, cada uma com mais de cem anos, que tinham sido amigas durante a vida inteira. Julia tinha se oferecido para entrevistá-las no documentário porque se apaixonou pelo tema.

Depois de viajar de avião e de carro até uma cidadezinha perto de Chicago, Julia passou o dia inteiro entrevistando pessoas num parque local. Ela nunca descansava! Lá pelas três da tarde, meu nível de açúcar estava despencando e imaginei que o dela também estava. Não comíamos desde o café da manhã e resolvi comprar alguma coisa para comer. Como já expliquei, é importante comer regularmente ao longo do dia para manter o metabolismo em alta e impedir quedas do nível de açúcar no sangue, que podem levá-la a devorar alimentos pouco saudáveis. Mas estávamos numa cidadezinha onde só havia um posto de gasolina. Não se viam supermercados e nem restaurantes.

Felizmente, no minimercado do posto, consegui encontrar algumas opções nutritivas. Comprei ovos cozidos, *crackers* integrais, *beef jerky*, sementes de gergelim e suco de laranja. Pusemos tudo no teto do carro alugado e

Lanches Estelares na Estrada

Sempre que saio de casa, procuro levar comigo alguns alimentos saudáveis. Assim, se ficar com fome ou falta de energia, não vou desabar e nem entrar no primeiro *drive-through*. Mas, às vezes, quando não tenho petiscos nutritivos escondidos na bolsa, procuro alguma coisa rápida e saudável em lojas de conveniência, como fazia quando estava na estrada com Julia. Alguns exemplos:

Ovos cozidos

Nozes

Sementes de girassol ou de gergelim

Fatias de mussarela

Beef jerky

Crackers de trigo integral

Frutas frescas, como maçã e banana

Uva passa ou outras frutas secas, como damasco ou maçã

Suco feito na hora

Pretzels integrais, sem sal

Iogurte

fizemos um piquenique improvisado. Moral da história? Você *sempre* pode fazer escolhas alimentares inteligentes, esteja no interior de Illinois, num bar de beira de estrada ou no aeroporto, enquanto espera o seu vôo.

De volta a Los Angeles, Julia e eu começamos a nos encontrar quatro vezes por semana, às oito horas da manhã, para continuar o treino. Essas sessões matutinas duravam, em geral, quarenta e cinco minutos. Continuei inovando e procurando fazer com que as sessões sempre fossem divertidas. E parecia que estava valendo a pena. A essa altura, Julia estava em excelente forma e animada para treinar regularmente. O que mais eu poderia pedir?

Como você já percebeu, não é preciso dispor de equipamentos fantásticos para fazer um bom treino e minha experiência com Julia foi um ótimo exemplo disso. Fosse no Hotel Bellagio, numa academia de Chicago e na casa de Julia em Los Angeles, eu tinha sempre que adaptar o treino a diferentes ambientes e a diferentes horários. O Programa de Exercícios para as Pernas de uma Linda Mulher é igualmente simples e adaptável. Você precisa apenas de uma plataforma de 30 cm, uma bola suíça e uma bola de tamanho médio.

Essa rotina é baseada nos inúmeros treinos que Julia e eu fizemos ao longo destes cinco anos. Ela é planejada para fortalecer e alongar todos o músculos da parte inferior do corpo, mas especialmente das pernas. Você vai esculpir a parte frontal das coxas (os quadríceps), tonificar a parte interna e externa, e definir a parte posterior — ou seja, os músculos posteriores das coxas, que Ann Curry, minha colega no programa *Today*, chama de "*hammies*".

Esses exercícios trabalham também a parte inferior dos glúteos, ou *gluteus maximus*, que chamamos de "bumbum". Minhas clientes estão sempre reclamando dessa região. O *gluteus maximus* é um músculo grande e, se você não trabalhar para fortalecê-lo, ele acaba caindo. Esses movimentos, feitos uma vez por semana, erguem e firmam essa área-problema, deixando-a *sexy* e elegante no seu *jeans* favorito.

Programa de Exercícios para as Pernas de uma Linda Mulher

O PLANO

Faça estes exercícios uma vez por semana, às quintas-feiras. Com eles, você vai sentir seus músculos trabalhando de verdade! Alguns deles exigem que você mantenha o corpo numa determinada posição para aumentar a resistência muscular. Você vai aumentar a amplitude de movimentos e a consciência corporal ao usar os músculos centrais para manter o equilíbrio e o alinhamento. Além disso, vai aprender a controlar e a isolar os músculos-alvo para obter resultados dignos de um Oscar: pernas torneadas e nádegas firmes.

Do que Você Vai Precisar:

- Plataforma de 30 cm (uma cadeira baixinha, um banquinho para pôr os pés ou um *step* de aeróbica com três niveladores)
- Bola suíça
- Bola de tamanho médio
- *Dumbbells* de 1 a 2 quilos (opcional)
- Toalha ou colchonete (opcional)

Aquecimento

Extensão Juntando os Pés. Fique em pé com os pés juntos, o peito erguido e o umbigo para dentro. Dê um passo grande à direita com o pé direito. Ao se apoiar no pé direito, traga o esquerdo para junto dele. Estenda o braço esquerdo para cima, o mais alto que puder, sentindo o alongamento em todo o lado esquerdo do corpo. Repita, dando um passo para o lado esquerdo e estendendo o braço direito para cima. Faça 10 vezes.

Marcha sem Sair do Lugar. Fique em pé, com os pés afastados na largura dos quadris, o peito erguido e o umbigo para dentro. Erga um joelho por vez, o mais alto que puder, movimentando os cotovelos ao mesmo tempo. Continue, até ter feito 20 levantamentos com cada joelho.

Passo Lateral Cruzado. Dê um passo para a direita com o pé direito, depois leve o pé esquerdo para trás da perna direita, estendendo ao mesmo tempo o braço esquerdo à sua frente. Repita, dando o passo para a esquerda, cruzando atrás com o pé esquerdo e estendendo o braço direito. Faça 10 vezes.

Repita a Marcha sem Sair do Lugar.

Quando terminar, fique ereta e inspire, levando os braços para os lados e depois acima da cabeça. Ao expirar, baixe os braços para a posição inicial. Faça 3 vezes.

Agora você já deve estar pronta para começar o treino.

O Treino

1. a) Postura do Guerreiro. Fique em pé com os pés afastados na largura dos quadris, o peito erguido, o umbigo para dentro. Ao expirar, dê um passo grande para a frente com o pé esquerdo e baixe o joelho esquerdo num avanço parcial, mantendo a perna direita reta e girando o pé esquerdo 45 graus para fora; o joelho esquerdo deve ficar alinhado com os dedos do pé esquerdo. Agora, gire os quadris, ficando de frente para o lado esquerdo da sala. Expirando, estenda os braços para os lados, à altura dos ombros, mantendo os ombros baixos, e olhe para a mão esquerda. Respire profundamente, mantendo-se na posição por 10 segundos. Inverta o lado e repita. *Trabalha os glúteos, os quadríceps, os músculos posteriores das coxas, os abdominais, os ombros e as panturrilhas.*

b) Avanço em Giro. Em pé, expire ao dar um passo grande para a frente com o pé direito, dobrando o joelho direito de modo que fique diretamente acima do tornozelo direito; o joelho esquerdo deve ficar ligeiramente dobrado, com o calcanhar esquerdo erguido. Pressione as palmas das mãos, uma contra a outra, à frente do peito e, ao expirar, incline-se para a frente e gire para a direita, pondo a parte de trás do braço esquerdo no lado de fora do joelho direito. Respire profundamente, mantendo a posição por 10 segundos. Endireite as pernas para voltar à posição inicial. Inverta as pernas e repita. Faça 3 vezes. *Trabalha os glúteos, os quadríceps, os músculos posteriores das coxas, os quadris; alonga a cintura e o peito.*

2. Agachamento com Bola na Parede. *Para tornar este exercício mais difícil, segure um* dumbbell *de 1 a 2 quilos em cada mão. Quando ficar mais forte, pode usar* dumbbells *mais pesados.* Fique em pé com uma bola suíça entre a parede e a base das costas, pés afastados na largura dos quadris, dedos dos pés voltados para a frente. Ao expirar, dobre os joelhos e leve os quadris para baixo — até que fiquem ligeiramente acima dos joelhos — e para trás, em direção à bola. Faça uma pausa, depois expire ao se apoiar nos calcanhares para voltar à posição inicial. Comece fazendo 10 agachamentos e aumente gradualmente para 20. *Trabalha os glúteos, os músculos posteriores das coxas e os quadríceps.*

3. Subida. *Comece usando uma plataforma de 30 centímetros para este exercício: pode ser uma cadeira baixinha, um banquinho ou um step de aeróbica com três niveladores. Para que o exercício fique ainda mais puxado, use uma plataforma mais alta. Para que fique mais fácil, use uma plataforma mais baixa.* Ponha a plataforma junto à parede. Se estiver usando uma cadeira, o assento deve ficar voltado para fora. Fique em pé de frente para a plataforma, com o peito erguido e o umbigo para dentro. Ponha o pé esquerdo no centro da plataforma. Segurando na parede para ter apoio, expire ao subir e pisar no assento da cadeira com o pé direito. (Com o tempo, você vai conseguir fazer este movimento sem segurar na parede.) Então, desça para a posição inicial. Todos os movimentos devem ser lentos e controlados. Faça 10 vezes, depois repita com a outra perna. Esteja atenta para fazer com que os músculos-alvo — posteriores das coxas, quadríceps e glúteos — trabalhem. *Trabalha os músculos posteriores das coxas, os quadríceps e os glúteos; eleva a freqüência cardíaca.*

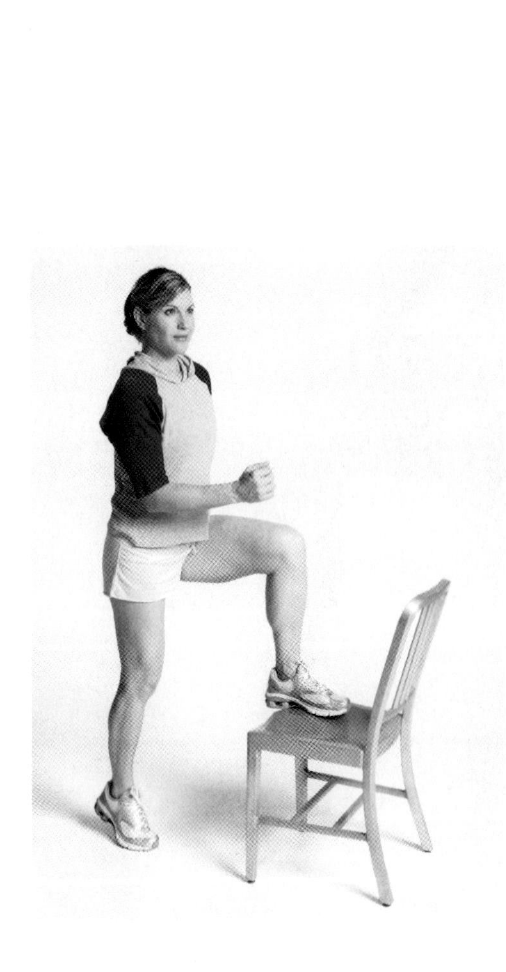

4. Postura em T Modeladora dos Glúteos. Segurando 10 cartas de baralho na mão esquerda, fique em pé com os pés juntos, os joelhos ligeiramente dobrados, o peito erguido, o umbigo para dentro. Mantendo a perna esquerda ligeiramente dobrada e as mãos à frente do peito, expire ao levantar a perna direita para trás e baixar o torso para a frente, até que o corpo forme um T. Mantendo a postura e com o umbigo para dentro, ponha uma carta no chão à sua frente, com a mão direita. Baixe lentamente a perna direita e volte à posição inicial. Repita até que todas as cartas estejam no chão. Inverta as pernas e repita, desta vez pegando as cartas, uma por uma. *Trabalha os glúteos, os abdominais, as costas e os braços; melhora o equilíbrio.*

5. Avanço em Giro com Bola. Fique em pé com os pés afastados na largura dos quadris, o peito erguido, o umbigo para dentro. Segure a bola suíça com os braços estendidos à frente do peito, perpendiculares ao corpo. Expirando, dê um passo grande para a frente com o pé direito, dobrando os joelhos, de modo que joelho direito fique diretamente acima do calcanhar direito e o joelho esquerdo se aproxime do chão, com o calcanhar esquerdo erguido. Mantenha o agachamento e gire a parte superior do torso o máximo possível para a esquerda, mantendo os braços retos. Faça uma pausa e volte à posição inicial. Repita do outro lado, de maneira a avançar com a perna esquerda e girar o torso para a direita. Faça um total de 8 a 10 avanços em giro de cada lado. *Trabalha os quadríceps, os músculos posteriores das coxas e os glúteos; alonga o torso.*

6. Levantamento da Parte Externa da Coxa. Ajoelhe-se no chão com a bola suíça junto ao quadril direito. Mantendo o joelho direito no chão e pondo as mãos na frente da bola para ter apoio, incline o quadril direito sobre a bola e estenda a perna esquerda para o lado, com o pé esquerdo descansando no chão. Expirando, levante lentamente a perna esquerda, até que esteja paralela ao chão, o joelho voltado para a frente. Não deixe que os quadris rolem para a frente ou para trás ao levantar a perna. Ao inspirar, baixe a perna para a posição inicial. Faça 15 vezes. Repita do outro lado. *Trabalha a parte externa das coxas.*

7. Afastamento para Enrijecer a Parte Interna das Coxas. Deite-se de costas com uma bola de tamanho médio sob o cóccix, com as pernas estendidas para cima, os dedos dos pés voltados para fora e os braços ao lado do corpo. Mantendo as pernas retas e o umbigo para dentro, expire ao flexionar os pés e abrir as pernas para os lados num grande V. Ao inspirar, traga as pernas de volta à posição inicial, até que os calcanhares se toquem. Faça 10 vezes. Descanse de 30 a 60 segundos e repita. *Trabalha a parte interna das coxas.*

8. **Levantamento do Quadril com Bola.** Deite-se de costas com os joelhos dobrados, os pés apoiados no chão e afastados na largura dos quadris, os braços ao lado do corpo. Ponha uma bola pequena entre os joelhos. Aperte a bola com os joelhos para isolar os músculos da parte interna das coxas. Ao inspirar, levante os quadris do chão numa postura de ponte, de modo que os ombros, o abdômen e os joelhos formem uma linha reta. Não deixe a bola cair! Contraia os glúteos e expire ao levar a coluna para baixo, até a posição inicial. Comece fazendo 10 vezes e aumente para 15. *Trabalha os glúteos, a parte posterior e a parte interna das coxas.*

9. Círculos com a Perna. Deite-se de costas, com a perna esquerda reta e estendida em direção ao teto, o joelho direito dobrado, o pé direito apoiado no chão e os braços ao lado do corpo. Gire a perna esquerda para fora de modo que a rótula se volte para a esquerda, depois expire baixando a perna ao máximo, mas sem tirar a base das costas do chão. Mantenha o quadril direito pressionando o chão e respire profundamente, girando a perna esquerda no sentido horário, de modo a traçar um grande círculo no ar com o pé esquerdo. Faça 8 círculos. Repita com a outra perna. *Trabalha a parte interna das coxas, os quadríceps e os abdominais.*

10. Torso Torcido. Deite-se de costas, com os joelhos dobrados e os pés levantados do chão. Os joelhos ficam ligeiramente à frente dos quadris e os braços estendidos para os lados à altura dos ombros, com as palmas das mãos voltadas para baixo. (Para ter mais apoio, ponha as mãos sob os quadris.) Com a cabeça, os ombros e a parte de cima das costas no chão, leve lentamente os joelhos para o lado, baixando-os em direção ao chão o máximo que conseguir. Faça uma pausa, depois expire ao erguer os joelhos de volta ao centro. Repita do outro lado. Comece fazendo 5 de cada lado e vá aumentando para 8 de cada lado. *Trabalha os flexores dos quadris, as costas e os abdominais (oblíquos interno e externo).*

Desaquecimento — Alongamentos

Rolamento de Quadris e Costas. Deite-se de costas, com o joelho esquerdo dobrado e a perna direita reta e estendida sobre o chão. O braço esquerdo fica estendido para o lado e a mão direita repousa no lado de fora do joelho esquerdo. Ao expirar, leve o joelho por sobre o corpo e até o chão, junto ao quadril direito. Sinta o alongamento no quadril esquerdo e na base das costas. Respire profundamente, mantendo a posição por 30 segundos. Repita do outro lado. *Alonga os quadris e a base das costas.*

Alongamento com Perna Estendida. Deite-se de costas com o joelho direito dobrado e a perna esquerda reta. Ao expirar, erga a perna direita, mantendo o joelho ligeiramente dobrado, diretamente acima do quadril direito. Entrelace as mãos atrás do joelho direito e, sem erguer as costas e nem as nádegas do chão, puxe delicadamente a perna direita em direção ao peito, até sentir o alongamento na parte posterior da coxa. Respire profundamente, mantendo a posição por pelo menos 30 segundos, ou o máximo que puder. Inverta as pernas e repita. *Alonga os músculos posteriores das coxas.*

Corpo em Bola. Ainda deitada de costas, abrace os joelhos junto ao peito, passando os braços em volta das coxas. Erga a cabeça devagar e leve o queixo em direção ao peito. Mantenha a posição durante alguns segundos, depois relaxe, mantendo os joelhos junto ao peito. Faça 4 vezes, inspirando profundamente pelo nariz e expirando pela boca. Deixe que todos os músculos relaxem. *Alonga os glúteos, a base das costas e os ombros.*

Frango com Molho de Azeitonas e Vinho

Só Carrie Wiatt para criar uma receita que combina três ingredientes bons para o coração — vinho tinto, azeitonas e alho — num molho fabulosamente saboroso. Este molho pode ser servido também com peixe e carne de outras aves, grelhada ou assada. É uma refeição deliciosa e com pouca gordura — e o molho tem só 52 calorias por porção!

Faz 4 porções

4 peitos de frango sem osso (cerca de meio quilo)
1 1/4 colher de sopa de azeitonas pretas sem caroço
2 colheres de sopa de azeite de oliva
1 1/4 colher de sopa de alho picado
2 colheres de sopa de alecrim bem picado
1 xícara de vinho tinto seco
1 1/2 xícara de caldo de galinha com baixo teor de sódio
2 colheres de sopa de farinha fina de araruta
Óleo para untar a frigideira

1. Ponha o azeite de oliva numa travessa rasa, com metade do alho e 1 colher de sopa de alecrim.
2. Deixe o frango marinar nesse óleo temperado por 2 horas ou de um dia para o outro.
3. Ponha as azeitonas num processador de alimentos para fazer uma pasta. Reserve.
4. Aqueça uma frigideira untada em fogo entre médio e alto. Frite o frango até que doure dos dois lados (uns 4 minutos de cada lado). Passe o frango para uma travessa, cubra e mantenha quente. Reserve.
5. Ponha o vinho e o caldo de galinha na frigideira e deixe cozinhar, mexendo para não pegar no fundo. Acrescente o resto do alecrim, a pasta de azeitonas e o resto do alho e cozinhe até que o líquido esteja reduzido pela metade.
6. Dilua a farinha de araruta num pouco de água e junte ao molho. Mexa até que engrosse um pouco, cerca de um minuto.

Postura de Criança com a Perna Estendida. Ajoelhada e ereta, sente-se sobre os calcanhares, ponha os braços à sua frente e incline-se para a frente até apoiar a testa nas costas das mãos. Lentamente, estenda a perna direita para trás. Deixe o corpo relaxar completamente, inspirando pelo nariz e expirando pela boca. Sinta o diafragma subir e descer à medida que o ar entra e sai do corpo. Deixe que os músculos afundem no chão a cada respiração. Fique na posição por 20 respirações completas ou o máximo que puder. Repita a posição, estendendo a perna esquerda. *Acalma a base das costas; rejuvenesce e descansa o corpo.*

Programa Militar de Exercícios das Panteras
... Estrelando Drew Barrymore

Quando conheci a Drew, no outono de 1998, ela estava se preparando para fazer o primeiro filme das Panteras. Ela sabia que o papel de Dylan Sanders envolveria muitas proezas físicas (sem mencionar as roupas minúsculas!). Durante a produção, ia trabalhar com um especialista em artes marciais e uma equipe especial para treinar as cenas de ação, mas queria começar a preparar o corpo para o papel. Tinha como meta ficar mais forte, em melhor forma e mais tonificada, além de eliminar aqueles quilos a mais.

Drew e eu trabalhamos juntas durante aproximadamente oito semanas antes do início da filmagem. Cerca de três ou quatro vezes por semana, eu ia de carro à casa dela numa linda região conhecida como Coldwater Canyon, no limite de Beverly Hills. A propriedade, situada numa encosta, era grande e deslumbrante, com paisagismo luxuriante, quadra de tênis e piscina. A casa de dois andares tinha telhas escuras de madeira e um jeito rústico. (Infelizmente, essa linda casa foi destruída por um incêndio alguns anos depois.) Além da casa principal, havia uma casa de hóspedes e uma grande garagem com quartos espaçosos no andar de cima.

Drew tinha transformado um desses quartos num espaço para atividades físicas, com uma bicicleta ergométrica e alguns *dumbbells*. Havia também um *Reformer* — equipamento usado no método Pilates, com elásticos e roldanas para exercícios de resistência. Além do Pilates, Drew não tinha conseguido encontrar uma atividade física de que realmente gostasse. Por isso, não vinha seguindo um programa regular de exercícios e nem obtendo os resultados que desejava.

Drew me contou que parte do seu problema era o tamanho dos seios, que tornava desconfortável qualquer exercício de impacto, como corrida ou aeróbica com *step*. Então, eu lhe falei de um maravilhoso sutiã próprio pa-

Trailer do Treino

Antes de filmar a versão cinematográfica de *As Panteras*, Drew Barrymore me recrutou para ajudá-la a entrar em forma para o papel da durona Angel Dylan Sanders. Esta combinação de cárdio para queimar calorias e exercícios inspirados em treino militar é baseada nos treinos semanais que fazíamos juntas. Com ela, você vai se sentir enxuta, forte, energizada e pronta para enfrentar os bandidos!

ra esportes, de uma empresa chamada Enell (www.enell.com). Esse sutiã tem fecho de gancho, sustenta e "segura" os seios com uma firmeza incrível. Ela gostou e encomendou um. Quando o sutiã chegou, ela ficou incrivelmente feliz e aliviada. Lembro-me que disse: "Este sutiã vai mudar a minha vida!" E eu não acho que estivesse sendo dramática. É incrível a diferença que uma roupa correta pode fazer para um treino.

Naquela época, Drew era uma vegetariana devotada. Comia hortaliças e frutas orgânicas, grãos e produtos de soja. Perto do dia de Ação de Graças, ela me contou que ia servir um "*tofurkey*" (peru feito de tofu) para os amigos. (Isso é que é uma vegetariana dedicada!). Embora Drew consumisse bastante frutas, legumes e verduras, eu lhe recomendei que ficasse atenta à ingestão de proteínas, de fontes como soja, nozes, sementes, feijões, ovos e laticínios. Como ela tinha o mau hábito de pular refeições, eu lhe expliquei que, se comesse com mais regularidade, ficaria mais estimulada para enfrentar seus dias corridos e manteria o metabolismo sempre em alta.

Salada de Macarrão de Trigo Sarraceno com Molho de Tamarindo

Hollis Wilder bem sabe como vivemos ocupadas. Por isso, criou esta salada fácil de fazer e que realmente satisfaz. O macarrão cozinha em 6 minutos: o tempo certo para fazer 20 avanços!

Faz 4 porções

Pacote de 300 gramas de macarrão soba (macarrão estilo japonês de trigo sarraceno)
1/2 xícara de tamarindo
2 colheres de sopa de suco de limão
1 colher de sopa de açúcar demerara
1 colher de sopa de raiz-forte já preparada
1 colher de sopa de gengibre fresco picado
3/4 de xícara de pepino, sem pele e cortado em tiras finas
3/4 de xícara de cenoura, sem pele e cortada em tiras finas
3/4 de xícara de pimentão vermelho, cortado em tiras finas
3/4 de xícara de cebolinha, cortada em tiras finas

1. Cozinhe o macarrão numa panela com água salgada, mexendo de vez em quando, até que fique tenro mas firme, o que leva cerca de 6 minutos. Transfira o macarrão para uma tigela de água gelada para esfriar depressa. Escorra bem.
2. Misture o tamarindo, o suco de limão, o açúcar demerara, a raiz-forte e o gengibre numa tigela, até que o açúcar se dissolva. Misture o macarrão e o molho de tamarindo numa travessa. Tempere com sal e pimenta. (Você pode fazer essa salada 3 ou 4 horas antes: cubra e leve à geladeira. Na hora de servir, mexa um pouco.)
3. Arrume o pepino, a cenoura, o pimentão e as cebolas sobre o macarrão e sirva.

Segredo para Viver Mais

Se os treinos não estão fazendo com que você emagreça tão depressa quanto gostaria, anime-se: eles estão acrescentando anos à sua vida. Um estudo do prestigiado Cooper Institute for Aerobics Research, em Dallas, revelou que o condicionamento cardiorrespiratório é um melhor indicador da expectativa de vida do que o peso ou o tamanho do corpo. Então, em vez de ficar ofuscada pela balança, concentre-se nas coisas incríveis que está fazendo pela sua saúde.

Drew é também uma amante dos animais. Além de doar dinheiro para instituições que cuidam de animais, ela resgatou pessoalmente vários deles. Na época, além de quatro cachorros adotados, ela tinha vários galos sob seus cuidados. Quando chegava no portão da sua casa, era saudada por um bando de rabos abanando. Quando íamos para a sala de exercícios, os cachorros nos seguiam e depois ficavam junto à porta de vidro observando atentamente o nosso treino. Isso é que é ser fã!

Para ajudar Drew a queimar calorias e elevar o seu nível de condicionamento, planejei um circuito no estilo militar. A meta era elevar a freqüência cardíaca e, ao mesmo tempo, fortalecer e tonificar os músculos. Durante as sessões, eu não a deixava parar de se mexer, diversificando ao máximo os exercícios para trabalhar um número maior de músculos e evitar que ela ficasse entediada. Sem parar, ela alternava exercícios de força, como avanços e saltos com agachamento, com atividades de cárdio: pular corda e *jumping jacks*. Fazia também treinos de atletismo, como saltos para os lados e corridas de curta distância. Como Drew tem muita energia e o espírito jovem, achei que gostaria de um treino que lhe desse a sensação de ser de novo uma garotinha. Como os exercícios eram novos para os seus músculos, eu sabia que seu corpo reagiria bem — e reagiu.

Durante esses treinos puxados, Drew foi um verdadeiro soldado. Nunca se lamuriava e nem se queixava. Seu nível de energia era alto e ela estava sempre disposta a fazer o que eu programava para ela. Apesar de ter crescido em Hollywood, Drew é uma garota muito simples. Tem uma grande alegria de viver e é sempre divertida e amiga. Conversávamos sobre a vida e ela me fazia um monte de perguntas sobre meus filhos, meu marido e minhas outras atividades. Depois de conhecê-la, entendi por que a escolhem para fazer personagens doces e singelos em filmes como *Para Sempre Cinderela* e *Nunca Foi Beijada*.

Quando finalmente vi *As Panteras*, achei o seu corpo fantástico. Mas fiquei ainda mais impressionada três anos depois, quando a vi na continuação, *As Panteras Detonando*. Ela não treinava mais comigo, mas percebi que tinha continuado a treinar. É óbvio que encontrou atividades que lhe agradam e que fez do exercício uma parte da sua vida. Segundo uma reportagem recente da revista *People*, ela disse: "Finalmente achei um ótimo sutiã para correr — que me ajudou muito a entrar em forma."

Desde que Drew começou a se exercitar regularmente, seu corpo mudou muito. Mas mesmo com a impressionante perda de peso, ela continua a ter uma aparência saudável e voluptuosa. Adoro quando a vejo ostentar suas curvas femininas em vez de tentar escondê-las. Embora goste de ficar em forma, Drew não está disposta a morrer de fome para ser supermagra e aceita o corpo que tem. Como eu disse no Capítulo 1, essa confiança no corpo é uma coisa pela qual vale a pena lutar. E as pesquisas revelam que o exercício é um dos mecanismos mais eficazes para melhorar nossa auto-imagem.

O Programa Militar de Exercícios das Panteras é a maneira ideal de terminar uma semana estressante. É em ritmo acelerado, de modo que você sente o coração bater e consegue suar bastante. Teve muitos problemas no trabalho? Os filhos estão aprontando? Ficou presa no trânsito? Com este programa, você vai sentir mais força e capacidade para enfrentar os aborrecimentos diários. Vai dar um chute no traseiro do que a aborrece e fazer valer a sua própria força. E o melhor de tudo é que vai começar o final de semana com mais energia, auto-estima e cor nas bochechas.

Programa Militar de Exercícios das Panteras

O PLANO

Faça este treino uma vez por semana, às sextas-feiras. **Cárdio**: você vai fazer 30 minutos de um circuito para queimar de gorduras, que combina andar, correr e pular corda. **Força**: você vai fazer 20 minutos de um treino intenso no estilo militar, que combina movimentos clássicos de força, *kickboxe* e treinos de atletismo, para queimar calorias, firmar os músculos, aumentar a coordenação, a agilidade e o vigor.

Do que Você Vai Precisar:

- Relógio com *timer*
- Corda de pular
- Cadeira bem firme ou mesinha de café
- Cesto de lixo pequeno (serve também uma cesta de roupa, uma caixa, uma pilha de toalhas ou um banco portátil)
- *Dumbbells* (3 a 4 quilos)
- Bola suíça
- Fita adesiva opaca
- Plataforma baixa (3 a 5 cm), como um *step* de aeróbica ou dois livros de capa dura
- Toalha ou colchonete (opcional)

CÁRDIO

Como a parte cardiovascular do Condicionamento de Supermodelo para a Parte Inferior do Corpo, este programa intervalado combina andar e pular corda. Só que, desta vez, você vai acrescentar um pouco de corrida à mistura. Assim, o seu corpo vai funcionar em intensidade mais alta por mais tempo, o que significa mais calorias queimadas. Mais uma vez, você vai alternar exercícios de alta e de baixa intensidade (ou "recuperação") — um modo eficaz de fazer o coração trabalhar sem se sobrecarregar.

É assim: faça 2 ou 3 minutos de caminhada vigorosa, seguidos de 1 ou 2 minutos de corrida e 1 minuto pulando corda (isso equivale a um intervalo). Repita os intervalos de 5 minutos durante 30 minutos, ou até ter feito 3.200 metros. No fim do treino, volte ao normal andando devagar por 3 a 5 minutos, ou até o freqüência cardíaca baixar.

Procure andar em ritmo vigoroso (1.600 metros em 15 minutos, ou 6.400 metros por hora), como fez no Condicionamento de Supermodelo. Corra em ritmo moderado (1.600 metros em 11 a 12 minutos, ou 8.000 metros por hora). Se não conseguir, aumente gradualmente sua velocidade. Se você já anda e corre na velocidade recomendada, continue trabalhando para melhorá-la. Quando ficar mais em forma, você poderá aumentar os intervalos de corrida ou diminuir os de caminhada, de modo a correr mais e andar menos.

Antes de começar, estude os intervalos resumidos abaixo ou faça uma cópia e leve com você. Amarre a corda de pular na cintura. Use um relógio com *timer* (ou um cronômetro) para medir os intervalos. Ponha tênis confortáveis para andar. Agora você já está pronta!

É assim que os intervalos se dividem:

Minutos 1-3: Caminhe

Minuto 4: Corra

Minuto 5: Pule corda

Repita

Minutos 11-12: Caminhe

Minutos 13-14: Corra

Minuto 15: Pule corda

Repita

Minutos 21-23: Caminhe

Minuto 24: Corra

Minuto 25: Pule corda

Repita

Volte ao normal: 3 a 5 minutos de caminhada lenta

FORÇA

Para evitar lesões e obter o máximo de resultados, aqueça os músculos antes de começar cada treino de força. Faça o aquecimento apresentado abaixo ou comece os exercícios de força imediatamente depois do treino de cárdio. Descanse de 15 a 60 segundos entre os exercícios, dependendo de como se sente. Termine fazendo os alongamentos das páginas 218-220.

Aquecimento

Marcha sem sair do Lugar. Fique em pé com os pés afastados na largura dos quadris, braços ao lado do corpo, peito erguido e umbigo para dentro. Balançando os braços, com os cotovelos dobrados num ângulo de 90 graus, levante um joelho por vez, o mais alto possível. Faça 20 vezes.

Passos laterais. Fique em pé com os pés juntos, o peito erguido e o umbigo para dentro. Dê um passo gigante para a direita com o pé direito e depois com o esquerdo, estendendo os braços para os lados ao mesmo tempo. Baixe os braços e então repita o movimento, dando o passo para a esquerda. Faça 20 vezes.

Repita os dois movimentos e então faça 10 *jumping jacks*. Repita a seqüência inteira uma vez e estará pronta para começar o treino.

O Treino

1. Agachamento-Salto-Avanço. Fique em pé, com os pés afastados na largura dos ombros, peito erguido, umbigo para dentro. Dobre os joelhos num agachamento, depois salte, estendendo simultaneamente os braços em direção ao teto. Aterrisse em posição de agachamento, depois endireite as pernas para voltar à posição inicial. Dê um passo à frente com o pé direito, expirando ao dobrar os joelhos num avanço, de modo que a coxa direita fique paralela ao chão e o joelho esquerdo aponte para baixo, com o calcanhar esquerdo erguido. O joelho direito deve ficar diretamente acima do tornozelo direito. Volte à posição inicial, depois dê um passo à frente com o pé esquerdo e dobre os joelhos num avanço. Endireite-se para voltar à posição inicial. Repita a seqüência inteira num total de 8 vezes. *Trabalha os glúteos, os quadríceps, os músculos posteriores das coxas, as panturrilhas e os músculos centrais (abdominais e costas); aumenta a freqüência cardíaca.*

2. Salto por Cima. Ponha uma cadeira contra a parede, com o assento voltado para você, e uma cesta de papéis de cabeça para baixo (você pode usar também uma cesta de roupa, uma caixa ou um *step* de aeróbica) no chão, de 30 a 60 cm à frente da cadeira. Fique em pé de frente para a cadeira e à direita da cesta de papéis. Ponha as mãos na beira do assento, depois incline-se para a frente, de modo que os ombros fiquem diretamente acima dos punhos. Expire e aperte uma perna contra a outra, pulando por cima da cesta, com o peso do corpo sobre as mãos. Repita, pulando de volta para a direita, por cima da cesta. Aterrisse com os pés juntos, usando o impulso para ajudá-la a dar o salto seguinte. Faça 20 vezes (10 pulos de cada lado). *Trabalha os ombros, os quadríceps, os músculos posteriores das coxas, as panturrilhas e os glúteos.*

3. Flexão de Braços Plyo com Palmas. Deite-se de bruços no chão, com os joelhos dobrados, os pés levantados acima dos joelhos e as mãos apoiadas no chão, ligeiramente mais afastadas do que a largura dos ombros. Mantenha a cabeça, o pescoço e as costas numa linha reta, com o umbigo para dentro. Empurre o corpo para cima, como numa flexão de braços, e bata palmas no ar. Aterrisse sobre as mãos, baixando o corpo para a flexão plyo seguinte. Se não conseguir bater palmas entre um movimento e outro, faça uma flexão de braços comum. Comece com 2 séries de 5 e aumente para 2 séries de 10. *Trabalha os tríceps, o peito e os ombros.*

4. Jumping Jacks. *Os* Jumping Jacks *sempre fizeram parte do meu repertório de exercícios. Como os braços e as pernas participam do movimento, a circulação é favorecida no corpo inteiro. Algumas poucas séries de* jumping jacks *aumentam o pulso tanto quanto uma aula de aeróbica. Além disso, são incrivelmente simples e fáceis de fazer. Por isso, são essenciais nos treinos militares — e eu os incluí no seu.* Fique em pé, com os pés juntos, braços ao lado do corpo, peito erguido, umbigo para dentro. Ao expirar, pule e afaste as pernas ligeiramente mais do que a largura dos ombros. Simultaneamente, leve os braços para os lados e para cima, acima da cabeça. Pule de volta à posição inicial. Faça 20 vezes. *Trabalha os quadríceps, os glúteos e os ombros; aumenta a freqüência cardíaca.*

5. a) Pico sobre a Bola. *Se este exercício for difícil demais, modifique-o dobrando os joelhos ao erguer os quadris.* Deite-se em cima da bola suíça, com as mãos no chão à sua frente e o umbigo para dentro. Ande para a frente com as mãos, até que o joelhos repousem sobre o centro da bola, mantendo os braços retos e os pulsos na linha dos ombros. O corpo deve formar uma linha reta da cabeça aos dedos dos pés. Com as pernas e o torso retos e o umbigo para dentro, expire erguendo o quadris para uma posição de pico, ou V invertido, de modo que a bola role pelas suas canelas. Volte lentamente à posição inicial. Comece fazendo 5 e aumente aos poucos para 15. *Trabalha os músculos centrais (abdominais e costas), os bíceps, os ombros e o peito; melhora o equilíbrio.*

b) Pare e Atire. *Eu adoro este exercício porque faz com que eu me sinta uma Pantera! Imagine que você está segurando um revólver, aponte para um vilão imaginário e atire!* Deite-se de costas na bola suíça, em posição de "mesa", com os ombros e a cabeça apoiados em cima da bola, os joelhos dobrados, os pés bem apoiados no chão, os glúteos erguidos. Estenda os braços para cima e entrelace os dedos, apontando os indicadores para cima a olhando para as mãos. Ao expirar, erga o ombro esquerdo da bola, vire a parte de cima do corpo para a direita e faça com que as mãos, ainda entrelaçadas, caiam para a direita, com os indicadores mirando a parede da direita. O ombro esquerdo deve ficar diretamente acima do ombro direito. Repita o movimento, virando para a esquerda e mirando a parede da esquerda. Faça 5 vezes de cada lado. *Trabalha os músculos centrais, os glúteos e os quadríceps.*

6. Levantamento Terra. *Neste exercício, você fica em pé sobre uma plataforma baixa, como um* step *de aeróbica ou dois livros de capa dura. Assim, vai levar os* dumbbells *ligeiramente abaixo dos pés, o que torna o exercício mais eficaz. É importante contrair os glúteos ao voltar à posição em pé, pois assim você vai usar a parte inferior do corpo no movimento e evitar tensão na base das costas. Comece usando* dumbbells *leves e, depois de 3 ou 4 semanas, ou logo que estiver pronta, passe para os pesados.* Com um *dumbbell* em cada mão, fique em pé numa plataforma baixa e firme, com os pés afastados na largura dos quadris, os *dumbbells* à frente das coxas. Levante o peito e traga o umbigo para dentro. Com os joelhos ligeiramente dobrados e as costas ligeiramente arredondadas, dobre-se para a frente nos quadris e baixe o torso em direção ao chão, o máximo que puder. Você deve sentir o alongamento na parte posterior da coxa. Faça uma pausa, depois expire ao contrair os glúteos e erguer o torso de volta à posição inicial, mantendo as costas retas. Concentre-se em usar os tendões das pernas e os glúteos para erguer o corpo. Comece fazendo 8 vezes e aumente para 12. *Trabalha os tendões das pernas.*

7. Passo do Caranguejo. *Você vai precisar de 6 a 9 metros de espaço para fazer este exercício. Um corredor longo é um bom lugar para ele.* Sente-se no chão com os joelhos dobrados, os pés bem apoiados no chão, as mãos no chão atrás de você, os dedos apontando em sua direção. Erga as nádegas do chão, usando as mãos e os pés como apoio. Ande para trás o mais depressa que conseguir, mantendo as nádegas erguidas e o umbigo para dentro, durante 20 segundos (cada segundo corresponde a um movimento da mão). Dê a volta e volte à posição inicial. *Trabalha os ombros, os tríceps, os glúteos, os quadríceps, os músculos posteriores das coxas e os músculos centrais.*

8. Kickboxe Chute-a-Fita — Pegue um pedaço de fita adesiva opaca e cole-a na parede, mais ou menos na altura da sua cintura. Com a perna esquerda ligeiramente dobrada e o umbigo para dentro, expire ao chutar para o lado com a perna direita, conduzindo o movimento com o quadril direito. No chute, a rótula direita fica voltada para a frente e a parte superior do corpo se inclina ligeiramente para a esquerda. Fique atenta ao pé direito para ver a que altura você consegue chutar. Repita o movimento, procurando chutar na mesma altura ou mais alto a cada vez. Comece dando 8 chutes com cada perna e aumente gradualmente para 12. *Trabalha a parte interna e externa das coxas e os músculos centrais.*

9. Modelador da Cintura. Com um *dumbbell* leve na mão direita, fique em pé com os pés afastados na largura dos ombros, os braços ao lado do corpo, as palmas das mãos voltadas para dentro. Mantendo o peito erguido e o umbigo para dentro, erga a mão esquerda e a ponha atrás da cabeça. Com as costas retas, incline-se para a direita e vá baixando o *dumbbell* junto à perna direita, até sentir um alongamento no lado da cintura. Não se incline para a frente nem para trás com o torso. (Ao fazer o movimento, imagine que está presa entre dois painéis de vidro.) Erga-se para a posição inicial. Faça 10 vezes, depois repita do outro lado. *Trabalha os abdominais (oblíquos interno e externo).*

10. Mergulho de uma Perna / Postura do Avião. Fique em pé, de costas para a cadeira. Dê um passo gigante para a frente, depois erga o pé direito para trás e ponha o peito do pé sobre o assento da cadeira. Mantendo o torso ereto e o umbigo para dentro, dobre o dois joelhos num avanço, de modo que o joelho esquerdo fique diretamente acima do tornozelo esquerdo; simultaneamente, estenda os dois braços para o lado para manter o equilíbrio. Ao expirar, endireite as pernas e volte à posição inicial. Faça 8 vezes. Na 8ª vez, antes de voltar à posição inicial, incline-se para a frente, de modo que o peso do corpo incida diretamente sobre o pé esquerdo, e então baixe lentamente o torso e erga o pé direito até que o torso e a perna esquerda fiquem paralelos ao chão. Simultaneamente, estenda os braços para os lados. Mantenha a posição durante 30 segundos ou pelo tempo que conseguir. Levante o torso para uma posição ereta e baixe o pé para o chão. Mude de lado e repita. *Trabalha os glúteos, a parte interna e externa das coxas, os quadríceps, os músculos posteriores das coxas e os músculos centrais; melhora o equilíbrio.*

Desaquecimento - Alongamentos

Levantamento Cruzado do Joelho. Deite-se de costas com os joelhos dobrados. Cruze o pé esquerdo sobre o joelho direito e traga a perna direita em direção ao peito. Respire profundamente, mantendo a posição por 30 segundos ou pelo tempo que conseguir. Mude de lado e repita. *Alonga os quadris, as glúteos e a base das costas.*

Extensão Sentada. Sente-se no chão com a perna direita estendida e a esquerda dobrada, a sola do pé esquerdo contra a parte interna da coxa direita. Procurando manter as costas retas, estenda as mãos em direção ao pé direito até sentir uma suave tensão na base das costas e na parte posterior das coxas. Respire profundamente, mantendo a posição por 30 segundos ou pelo tempo que conseguir. Repita do outro lado. *Alonga os músculos posteriores das coxas, a base das costas e os quadris.*

Alongamento com as Pernas Abertas. Sente-se no chão, com as pernas retas e estendidas, separadas num grande V. Mantendo as costas retas e as mãos no chão à sua frente, incline-se para a frente até sentir um suave alongamento na parte interna e na parte posterior das coxas. Mantenha a posição durante 30 segundos. Depois, incline-se para a esquerda e leve as mãos em direção ao pé esquerdo. Mantenha a posição durante 30 segundos. Agora, incline-se para a direita e leve as mãos em direção ao pé direito. Mantenha a posição durante 30 segundos. *Alonga os quadris, a parte interna e posterior das coxas.*

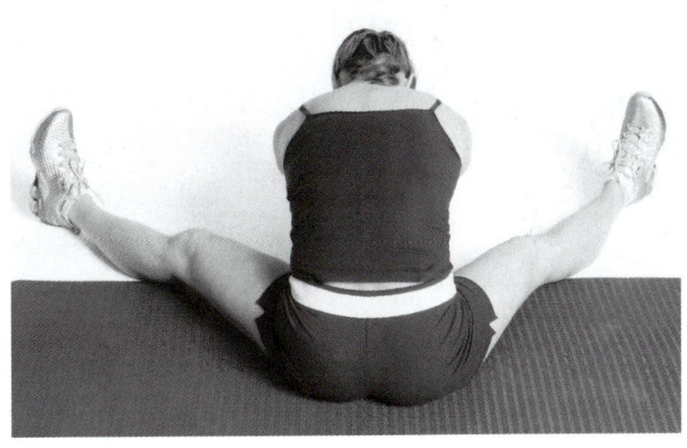

Postura de Criança. Comece em posição ajoelhada e ereta. Sente-se nos calcanhares, depois incline-se para a frente e apóie a testa no chão, com os braços ao lado do corpo e as palmas das mãos voltadas para cima. Deixe o corpo relaxar completamente e respire fundo, fazendo o ar entrar pelo nariz e sair pela boca. A cada respiração, deixe que os músculos se soltem ainda mais em direção ao chão. Fique nessa posição por 10 respirações completas, ou pelo tempo que quiser. *Acalma a base das costas; rejuvenesce e descansa o corpo.*

Maçãs Assadas Recheadas com Frutas Secas e Pecãs

No inverno, eu sempre gostei de comer maçãs assadas. Este clássico repaginado inclui frutas secas e pecãs, acrescentando nutrientes e sabor. Sirva as maçãs quentes, com iogurte ou sorvete de iogurte com baixo teor de gordura. Faça algumas a mais e sirva com aveia e leite para um café da manhã substancioso. **Faz 4 porções**

4 maçãs de 180 gramas (gala ou de qualquer tipo bom para assar)
1 colher de sopa de suco de limão
1/2 xícara de damascos secos picados
2 colheres de sopa de uva passa sem caroço
2 colheres de sopa de pecãs tostadas e picadas
2 colheres de sopa de açúcar mascavo
1/4 de colher de chá de canela
1/8 de colher de chá de noz-moscada ralada
1 colher de sopa de manteiga sem sal (1/2 colher derretida e 1/2 cortada em 4 pedaços)
1/2 xícara de cidra de maçã integral
1/2 colher de chá de baunilha
1/2 xícara de iogurte de baunilha ou de maçã, sem gordura

1. Pré-aqueça o forno a 200°C.
2. Tire o miolo das maçãs. Ponha-as de pé e faça 4 cortes verticais, a espaços iguais, começando no topo e parando a meio caminho da base. Isso mantém a maçã intacta. Esfregue o lado de dentro de cada maçã com suco de limão e ponha as maçãs de pé numa forma de cerâmica ou vidro, de 25 cm.
3. Numa tigela, misture os damascos, as passas, as pecãs, o açúcar mascavo, a canela e a noz-moscada. Com os dedos, passe manteiga derretida na mistura de frutas secas, até que esteja bem misturado.
4. Encha o centro de cada maçã com a mistura de frutas secas. Ponha um pedacinho da manteiga restante no topo de cada maçã. Despeje a cidra e a baunilha em volta das maçãs. Cubra a forma com papel de alumínio.
5. Ponha a forma no meio do forno. Asse as maçãs, regando uma vez com o molho, durante aproximadamente 40 minutos: devem estar tenras quando espetadas com um garfo. Remova o papel de alumínio e continue a assar por mais 20 ou 30 minutos, até que as maçãs fiquem bem macias, mas sem despedaçar.
6. Transfira para o pratos em que vai servir e regue-as com o molho. Sirva com colheradas de iogurte de maçã ou de baunilha.

CAPÍTULO NOVE

Bônus — *O Incrível Programa Abdominal*
... Estrelando Cindy Crawford

Quando conheci a supermodelo Cindy Crawford, ela estava grávida de seu primeiro filho. Cindy me procurou porque queria fazer um vídeo de exercícios para ajudar as mulheres a voltar à forma depois de ter um bebê. Ela tinha ouvido falar de mim por intermédio de amigas e sabia que eu havia engordado muito durante minha primeira gravidez. (Ganhei colossais quarenta quilos quando estava grávida dos gêmeos!) Como há poucos recursos para a boa forma pós-natal, achei que o vídeo era uma excelente idéia e aceitei a proposta.

Cindy e eu montamos um programa em três partes para ajudar as novas mamães a retomar com facilidade uma rotina de exercícios. O programa apresentava três treinos separados que ficavam progressivamente mais longos e mais difíceis, proporcionando um método "tijolo por tijolo" para voltar à boa forma. Os primeiros dois segmentos consistiam em treinos de 12 e 14 minutos, destinados à recuperação pós-parto. O segmento mais longo, de 40 minutos, era um treino para o corpo inteiro, que incluía cárdio, pesos e abdominais. Nossa idéia era começar a gravar o vídeo, que se chamaria *Cindy Crawford: Uma Nova Dimensão*, três meses depois de Cindy ter tido o bebê.

Embora ela seja geneticamente abençoada, Cindy sabe que seu corpo não vai continuar assim se não trabalhar nele. Felizmente, ela é uma praticante de exercícios dedicada. Além de modelo e atriz, Cindy é porta-voz de diferentes empresas e instituições de caridade. Com

"Quando eu estava grávida do meu primeiro filho, desenvolvi com Kathy um programa de exercícios para mães recentes. Kathy idealizou um plano de exercícios fáceis de acompanhar mas incrivelmente eficazes. Penso que foi graças à sua abordagem realista ao exercício que tantas mulheres me escreveram contando que a fita as ajudou a voltar à forma pré-gravidez. Na verdade, algumas dizem que estão em melhor forma agora do que antes da gravidez. Os programas de exercícios de Kathy realmente dão resultado. Os exercícios abdominais são ótimos — eles vão direto ao ponto que você quer firmar. Fazer exercícios com Kathy era uma coisa que eu fazia com prazer."

— Cindy Crawford

Trailer do Treino

Esta rotina explosiva de 5 minutos trabalha os quatro principais músculos abdominais, sendo, assim, um treino rápido e eficaz. Os exercícios são alguns dos que Cindy Crawford usou para recuperar a forma pré-gravidez depois de ter tido o primeiro filho. Se fizer estes exercícios três vezes por semana, juntamente com os outros treinos deste livro e uma dieta saudável, você vai ter uma barriga mais *sexy*, mais chapada e mais firme. Chega de se esconder na praia!

isso, está sempre voando entre sua casa em Nova York e sua casa em Los Angeles. Mas, por mais ocupada que esteja, sempre acha tempo para treinar. Seus hábitos alimentares também são muito saudáveis. Ela procura fazer escolhas nutricionais inteligentes e nunca passa muito tempo sem uma refeição ou um lanche, o que mantém seu corpo energizado e evita qualquer exagero.

Cindy continuou a se exercitar durante a gravidez, fazendo muitas caminhadas e exercícios com pesos. Depois de dar à luz seu filho Presley, começou a fazer o primeiro segmento do nosso vídeo logo que se sentiu preparada e teve a permissão do médico. Depois de duas semanas, passou ao segundo treino. Mais quatro semanas e passou ao terceiro. Seguiu fielmente nosso tríplice programa pós-gravidez e, quando gravamos o vídeo, ela estava deslumbrante. Ela não parecia de modo algum ter tido um filho há tão pouco tempo.

Gotas de Chocolate Branco de Merengue

Estas delícias criadas por Carrie Wiatt são uma festa para quem faz dieta. São tão boas que é difícil acreditar que não contêm gordura e têm apenas 19 calorias cada uma. Seus filhos também vão adorar!

Faz 25 *cookies*

3 claras de ovo
1 pitada de creme de tártaro
1/2 xícara de açúcar granulado
2 colheres de chá de extrato de baunilha
1/2 xícara de pingos de chocolate com baunilha

1. Pré-aqueça o forno a 180°C. Forre uma forma rasa com papel parafinado e reserve.
2. Numa tigela grande, bata as claras de ovo com o creme de tártaro em alta velocidade, até que formem picos. Sem parar de bater, junte o açúcar, uma colher por vez, e a baunilha. Reduza a velocidade. Acrescente os pingos de chocolate e mexa delicadamente com uma espátula de borracha.
3. Com a colher, pingue na forma quantidades iguais da mistura, com cerca de 2 cm entre elas. Asse por 1 hora. Desligue o forno. Deixe os cookies secando no forno por 2 horas.

É claro que nem todo mundo consegue se recuperar tão rapidamente de um parto. Cindy estava em excelente forma antes de engravidar e não ganhou muito peso durante a gravidez, o que certamente ajudou muito. Mas isso teve a ver também com a genética. Não é à toa que Cindy é uma supermodelo. Ela tem uma constituição longa e delgada, e seu corpo responde rapidamente ao exercício. Como já mencionei, levei mais de um ano para me recuperar de cada gravidez. Embora os treinos regulares e os hábitos saudáveis de alimentação tenham me ajudado a perder o excesso de peso e a recuperar a firmeza, meu corpo — principalmente a barriga — nunca voltará a ser o mesmo depois de ter tido três bebês. Por mais que me exercite, nunca mais vou ter a barriga tanquinho que tinha aos vinte anos. Mas, com o tempo e muita persistência, consegui me livrar da flacidez em volta da cintura e melhorar significativamente a forma e o tônus dos músculos abdominais.

Mesmo que você não tenha tido um bebê, é muito provável que você queira ter uma barriga mais tonificada, *sexy* e esculpida, um desejo que está na "lista de desejos para um corpo melhor" da maioria das mulheres. Embora ter uma barriguinha chapada possa não ser um desejo realista, fazer exercícios para fortalecer os músculos abdominais ajuda a ter uma aparência muito mais enxuta e mais firme. Isso é essencial para que você se sinta em sua melhor forma. O abdômen é o centro do corpo. Tudo o que você faz — levantar-se da cadeira, andar, balançar um taco de golfe — vem desse centro. Manter fortes esses músculos centrais é crucial para um bom equilíbrio, uma bela postura e costas saudáveis, à prova de lesões.

Mas atenção: os exercícios abdominais por si só podem não lhe dar aquela aparência enxuta e esculpida que você quer. Para parecer tonificada na parte central do corpo, é possível que você tenha que perder gordura corporal. Com isso, os músculos vão ficar mais visíveis e sua saúde geral vai melhorar. Como expliquei no Capítulo 1, a melhor maneira de eliminar

Absolutamente Perfeito

Não é tão fácil atingir os músculos abdominais. Para obter bons resultados de um treino abdominal, é preciso saber como envolver esses músculos nos movimentos. A visualização e a respiração profunda podem ajudá-la a fazer uma conexão entre a mente e os músculos, de maneira que consiga isolar e contrair os abdominais com mais eficácia. Ao se exercitar corretamente, você consegue sentir os músculos-alvo trabalhando o tempo inteiro. As dicas a seguir ajudam a aproveitar ao máximo cada exercício.

Toque a coluna. Para atingir os abdominais, traga o umbigo para dentro, como se estivesse tentando tocar a coluna.

Respire profundamente. Ao contrair os músculos abdominais, expire pela boca para remover o ar do diafragma. Quando soltar os músculos, inspire profundamente pelo nariz.

Toque o acordeão. Nos movimentos 6 a 10, visualize sua parede abdominal como um acordeão que vai da parte inferior da caixa torácica aos ossos dos quadris. Antes de começar o exercício, o acordeão deve estar totalmente estendido e cheio de ar. Ao executá-los, o acordeão deve se fechar completamente e expulsar o ar.

os quilos a mais é mediante uma combinação de exercício cardiovascular, treinamento de força e dieta saudável. Seguindo o programa semanal de exercícios e as orientações nutricionais deste livro, você estará no bom caminho.

Se não obtiver resultados imediatos, por favor não desanime. Mesmo que não consiga ver as mudanças, alegre-se por estar fazendo uma coisa incrivelmente importante para o corpo. Se você continuar comendo direito e se exercitando regularmente, as mudanças vão aparecer — eu juro! Então, seja paciente e concentre-se no bem-estar que todos esses exercícios estão lhe proporcionando. A barriguinha mais enxuta vem logo depois.

Alguns dos movimentos deste programa de abdominais são do vídeo *New Dimension*, de Cindy, mas não servem apenas para mães recentes. Combinados aos outros treinos deste livro, estes exercícios supereficazes vão ajudá-la a fortalecer e a esculpir os músculos centrais, esteja ou não grávida e seja qual for sua idade. São projetados para trabalhar os quatro músculos abdominais mais importantes, incluindo o *rectus abdominis* (o músculo visível no "tanquinho"), os oblíquos interno e externo (os lados da cintura) e o *transverse abdominis* (um músculo profundo que ajuda a achatar a barriga). Você vai trabalhar esses músculos de diferentes ângulos e em tempos diferentes, o que é essencial para maximizar os resultados.

Para ficar mais firme e definida, você não precisa passar vinte minutos por dia fazendo abdominais. Basta este treino de cinco minutos, três vezes por semana. Mas é preciso fazê-lo regularmente. Para resultados rápidos e visíveis, é importante também aprender a isolar os músculos abdominais (para descobrir como, consulte as dicas do quadro Absolutamente Perfeito na página anterior). Integre estes movimentos ao seu programa de exercícios e vai estar desfilando uma barriga mais *sexy* e mais firme muito antes do que imagina!

Bônus —
O Incrível Programa Abdominal

O PLANO

Faça este treino abdominal três vezes por semana, descansando um dia entre as sessões. Por exemplo: faça às segundas, quartas e sextas ou às terças, quintas e sábados. Quando ficar mais forte, pode acrescentar um quarto dia, se desejar.

Do que Você Vai Precisar

— Toalha ou colchonete
— Bola de tamanho médio
— 20 cartas de baralho

Aquecimento

Alongamento Lateral em Pé. Fique em pé, com os pés afastados na largura dos quadris, joelhos ligeiramente dobrados, peito erguido, umbigo para dentro e braços aos lados do corpo. Ao expirar, estenda o braço direito em direção ao teto, acima da cabeça e à esquerda, de modo a sentir o alongamento descendo pelo lado direito do corpo. Respire profundamente, segurando a posição por 5 segundos. Repita do outro lado.

Levantamento do Joelho e Chute. Fique em pé, com os pés juntos, peito erguido e umbigo para dentro. Com o joelho esquerdo levemente dobrado, expire ao levantar o joelho direito em direção ao peito. Volte à posição inicial e repita com o joelho esquerdo. Continue alternando os lados até ter feito 5 levantamentos com cada joelho. Agora, leve o joelho direito para cima e estenda a perna num chute, levando o braço esquerdo para a frente. Alterne os lados até ter feito 5 levantamentos e chutes com cada joelho.

Repita o Levantamento Lateral em Pé, depois pegue a toalha ou o colchonete e prepare-se para começar o treino.

O Treino

1. Prancha no Antebraço. *Sua meta final deve ser manter o corpo nessa posição por 60 segundos. Se de início não der, faça o melhor possível. Procure manter a posição por um tempo ligeiramente maior em cada treino. Pode ser que leve de um mês a dois para chegar a um minuto, mas tudo bem. Persista e vai adorar os resultados.* Fique de quatro, depois baixe o corpo sobre os antebraços, com os cotovelos no chão diretamente sob os ombros. Ande com os pés para trás até que as pernas fiquem retas e os quadris erguidos, de modo que o corpo forme uma linha reta da cabeça aos calcanhares. Mantenha as omoplatas para baixo e o umbigo para dentro. Não deixe que os quadris caiam e nem que a base das costas afunde. Respire profundamente, mantendo a posição pelo maior tempo possível, até 60 segundos. *Trabalha os abdominais (rectus abdominis, oblíquos interno e externo, transverse abdominis), os ombros, os quadris e as pernas.*

2. Casa de Camundongo. *Este é um dos meus exercícios favoritos. Eu o aprendi com a especialista em* fitness *Kathy Smith. Ela lhe deu o nome de casa de camundongo, e é exatamente assim que você deve visualizá-lo.* Deite-se de bruços no chão, com os braços cruzados e a cabeça apoiada nos antebraços. Com os glúteos relaxados e a pelve estável, expire levando o umbigo para dentro, afastando-o do chão. Entre a barriga e o chão, visualize um espaço suficiente para um camundongo. Mas não deixe que ele saia! Faça 10 vezes. *Trabalha os abdominais (transverse abdominis).*

3. Prancha com o Joelho para Dentro. Comece em posição de flexão de braços com pernas estendidas, ou prancha. Mantenha as mãos na linha dos ombros, os quadris erguidos, as pernas estendidas para trás e o peso do corpo descansando sobre os dedos dos pés. Leve o umbigo para dentro, em direção à coluna. Mantendo essa posição, expire ao trazer o joelho direito em direção ao peito e baixar levemente o queixo em direção ao joelho. Volte à posição inicial, depois repita com o joelho esquerdo. Continue alternando as pernas até ter feito 10 de cada lado. *Trabalha os abdominais (rectus abdominis), as costas, o peito e os ombros.*

4. Bicicleta. Deite-se de costas com os joelhos dobrados e a base das costas pressionando o chão. Ponha as mãos atrás da cabeça. Mantendo o umbigo para dentro, expire ao estender a perna direita, que deve ficar reta; ao mesmo tempo, erga os ombros do chão e leve o cotovelo direito e o joelho esquerdo um na direção do outro. Inspire e, ao expirar, repita o exercício, usando a outra perna e o outro braço. Mantenha os movimentos lentos e controlados, fazendo trabalhar os músculos abdominais e não as pernas ou os braços. Continue alternando os lados até ter feito 10 de cada lado. Descanse durante 30 minutos e repita. *Trabalha os abdominais (rectus abdominis, oblíquos interno e externo).*

5. *Crunch* Reverso. Deite-se de costas, com os braços ao lado do corpo e as palmas das mãos voltadas para baixo. Erga as pernas até que fiquem estendidas na vertical. Ao expirar, use os músculos abdominais para erguer os quadris cerca de dois centímetros do chão. Ao inspirar, baixe os quadris à posição inicial. Procure manter as pernas retas: não balance nem chute. Não trapaceie empurrando com as mãos. Faça 3 séries de 8. Quando ficar mais forte, procure manter os quadris erguidos do chão por um ou dois segundos. *Trabalha os abdominais (fibras inferiores do rectus abdominis).*

6. *Sit-up* com Cartas. Segure 15 cartas na mão direita. Deite-se de costas com os joelhos dobrados e os braços estendidos acima da cabeça. Ao expirar, use os músculos abdominais para erguer o torso até uma posição sentada e, ao mesmo tempo, use a mão esquerda para pôr uma carta no chão entre as pernas. Volte para a posição inicial e repita até ter baixado todas as cartas. Depois, continue a fazer o movimento, pegando uma carta por vez até que tenha todas na mão direita. *Trabalha os abdominais (rectus abdominis).*

7. *Crunch* com as Pernas Estendidas e Bola. Deite-se de costas com as pernas estendidas na vertical. Segure uma bola de tamanho médio entre os joelhos. Ponha as mãos soltas atrás da cabeça. Ao expirar, use os músculos abdominais para erguer lentamente a cabeça e as omoplatas do chão. Mantenha o queixo longe do peito e olhe na direção dos pés. Descanse de 15 a 30 segundos e repita. *Trabalha os abdominais (rectus abdominis).*

8. Escorregar até o Joelho. Deite-se de costas com os joelhos dobrados, a mão esquerda atrás da cabeça e a direita descansando na coxa direita. Ao expirar, erga as omoplatas do chão e escorregue a mão direita para cima, até o joelho direito. Mantenha o braço direito reto e a mão direita empurrando a coxa. Quando você empurra a coxa, os abdominais são obrigados a trabalhar mais para trazer mais para cima a parte superior do corpo. Faça 2 séries de 15 de cada lado. *Trabalha os abdominais (fibras superiores do rectus abdominis).*

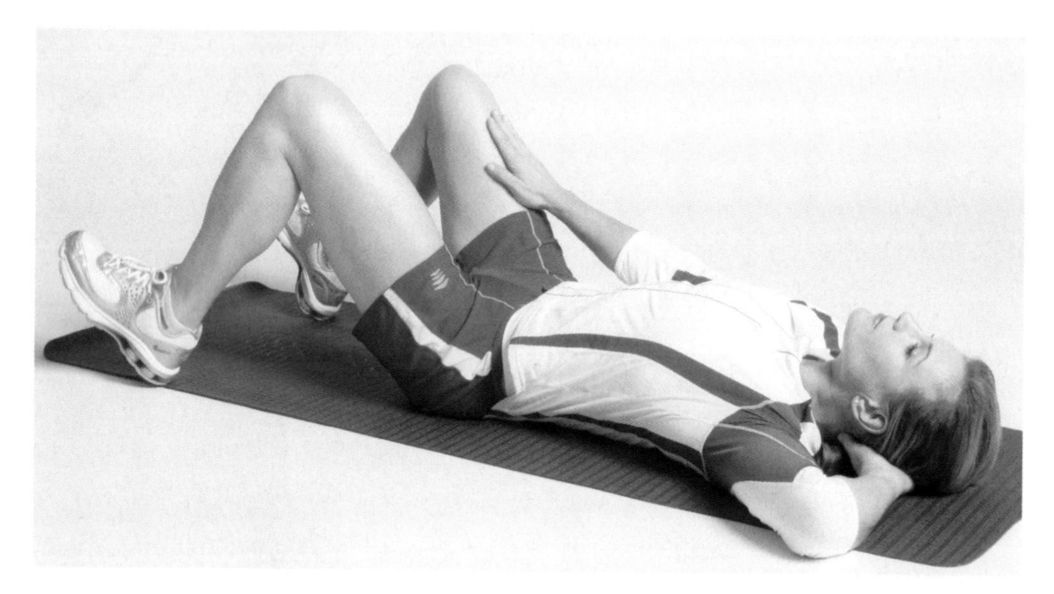

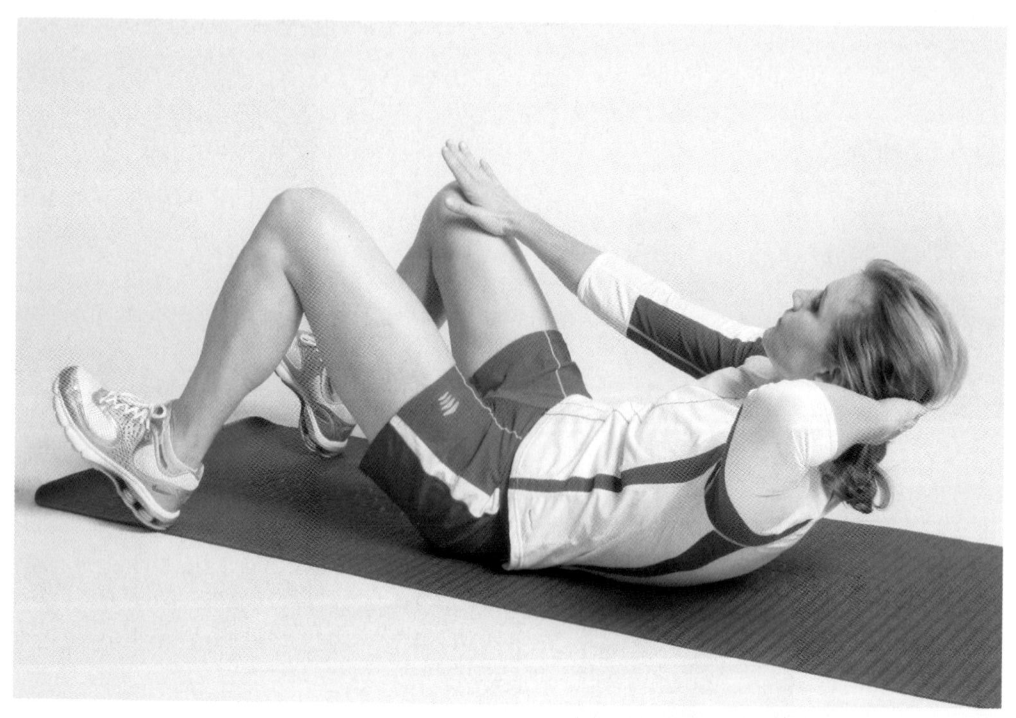

9. *Sit-up* Oblíquo com Cartas. Segure 20 cartas na mão esquerda. Deite-se de costas com os joelhos dobrados, os braços acima da cabeça. Ao expirar, use os músculos abdominais para erguer a parte superior do torso até uma posição sentada. Ao mesmo tempo, use a mão direita para pôr uma carta no chão, junto ao lado de fora do pé esquerdo. Ao estender o braço para pôr a carta, você vai sentir que os músculos do lado esquerdo do abdômen participam do movimento. Volte à posição inicial e repita até ter baixado 10 cartas. Passe as 10 cartas restantes para a mão direita e continue o exercício até ter posto as 10 cartas no chão, junto ao lado de fora do pé direito. Depois de baixar todas as cartas, repita o exercício, pegando as cartas que estão junto ao pé esquerdo, uma por vez. Inverta as mãos e pegue as cartas que estão junto ao pé direito, uma por vez. *Trabalha os abdominais (oblíquos interno e externo).*

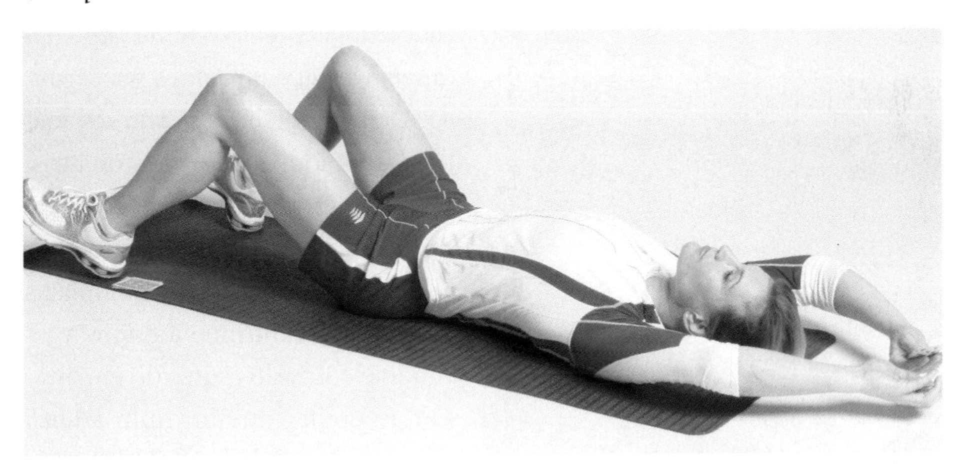

10. Combo em Quatro Tempos. *Este exercício segue uma cadência de 4 tempos: é melhor contar em voz alta, um tempo por segundo*. Deite-se de costas, com os joelhos dobrados acima dos quadris, as mãos descansando atrás da cabeça, o queixo afastado do peito.

1: Expire, erguendo as omoplatas do chão. 2: Continue a expirar, levando o cotovelo esquerdo em direção ao joelho direito, num *crunch* oblíquo. 3: Ainda expirando, volte ao centro (como em 1) e erga de novo as omoplatas do chão. 4: Inspire e baixe os ombros para a posição inicial. Faça 8 vezes; depois mais 8 vezes, levando o cotovelo direito em direção ao joelho esquerdo no 2. *Trabalha os abdominais (rectus abdominis, oblíquos interno e externo).*

Desaquecimento — Alongamentos

Queda de Joelho. Deite-se de costas com os joelhos dobrados, os pés juntos e bem apoiados no chão, as mãos entrelaçadas atrás da cabeça. Baixe os dois joelhos para o lado esquerdo, mantendo o máximo possível das costas e dos quadris apoiados no chão. Respire profundamente, mantendo a posição por 30 segundos no mínimo. Volte à posição inicial e depois repita, baixando os joelhos para o lado direito. *Trabalha os músculos centrais (abdominais e base das costas).*

Giro Sentada. Sente-se no chão, com as pernas estendidas à sua frente. Dobre o joelho esquerdo e ponha o pé esquerdo no chão, junto ao lado de fora do joelho direito. Ponha a mão esquerda no chão atrás de você para se apoiar. Com as nádegas apoiadas no chão, estenda o braço direito por sobre o joelho esquerdo e gire a parte superior do corpo para a esquerda, olhando por sobre o ombro esquerdo. Respire profundamente, mantendo a posição por 30 segundos no mínimo. Repita do outro lado. *Trabalha os músculos centrais.*

Cobra Modificada. Deite-se de bruços no chão, apoiada nos cotovelos, os cotovelos na linha dos ombros, os dedos apontando diretamente para a frente. Ao expirar, levante do chão a cabeça, os ombros e o peito, mantendo a coluna alongada e pressionando no chão a parte de cima das coxas e os pés. Respire profundamente, mantendo a posição por 30 segundos no mínimo. *Trabalha os abdominais, o peito, os ombros e o pescoço.*

Parfait de Salada de Frutas

Os *parfaits* de frutas frescas de Hollis Wilder podem ser servidos num jantar elegante para convidados ou num lanche rápido e saudável para a família. Ponha o *parfait* em copos grandes de vinho ou em copinhos de plástico com porções individuais. Você pode servir imediatamente ou cobrir e guardar na geladeira por três dias. **Faz 4 porções**

Molho Cremoso de Pêssego

1 banana
2 pêssegos
1/2 xícara de suco de laranja ou maçã

Creme de Caju

1/2 xícara de cajus frescos
1 1/2 xícara de água
2 colheres de sopa de xarope de *mapple*
2 xícaras de bolinhas de melão cantalupo
2 xícaras de bolinhas de melão pingo-de-mel
1 xícara de framboesas ou morangos
1 xícara de *blueberries*
1 papaia sem casca nem sementes, cortado em cubos
1 manga descascada, cortada em cubos
1/2 xícara de uvas passas (opcional)
1/4 de xícara de coco ralado
4 folhas de hortelã

Molho de pêssego: ponha a banana, os pêssegos e o suco de laranja ou maçã no liqüidificador e bata até ficar homogêneo.

Creme de caju: ponha os cajus, a água e o xarope de *mapple* no liqüidificador. Bata em alta velocidade por 3 minutos ou até o creme ficar homogêneo.

1. Arrume camadas de melão, frutinhas vermelhas, papaia e manga em taças grandes, alternando as cores. Espalhe as passas e o coco sobre cada camada.
2. Com uma colher, ponha o molho de pêssego e o creme de caju sobre as frutas e deixe que escorram pelas camadas. Enfeite com o creme de caju restante e uma folhinha de hortelã.

Postura Estendida de Criança. Ajoelhada e ereta, sente-se nos calcanhares, depois incline-se para a frente e descanse a testa no chão, com os braços estendidos à sua frente. Deixe o corpo relaxar completamente, respirando fundo: faça o ar entrar pelo nariz e sair pela boca. Sinta o diafragma subir e descer com o ar que entra e sai do seu corpo. Deixe que os músculos afundem cada vez mais no chão a cada respiração. Fique nessa posição durante 10 respirações completas, ou pelo tempo que quiser. *Acalma a base das costas; rejuvenesce e descansa o corpo.*

CAPÍTULO DEZ

Depois que a Câmera Pára de Rodar: Persista

Quero lhe agradecer de novo por ter escolhido este livro! Espero que tenha gostado de ler sobre minhas sagas pessoais e profissionais e sobre as inspiradoras histórias de sucesso das mulheres incríveis que treino. Estou muito feliz por você ter decidido cuidar melhor de si mesma e levar uma vida mais saudável e ativa.

Espero que eu a tenha inspirado a se mexer e a comer bem. Espero que este programa a ajude a começar. Digo "começar", porque este é apenas o primeiro passo. O exercício regular e a alimentação saudável podem ajudá-la a ter uma qualidade de vida melhor, a ser mais feliz e mais realizada — mas *só* se você persistir. Eu lhe dei uma base e sobre ela você pode construir. Este livro contém dicas práticas e exercícios que são seus pelo resto da vida, como pérolas levadas no bolso. Sempre que precisar de um estímulo, de uma rápida chamada, de alguma orientação, você pode abrir o livro e tirar dele outra pérola. Como sua *personal trainer*, minha meta é lhe dar todas as informações e conselhos necessários para que você mude para sempre o seu corpo e o seu estilo de vida. Agora, cabe a você transformar a atividade física num hábito para a vida inteira.

Lembre-se: minhas clientes célebres são tão deslumbrantes em parte porque treinam com regularidade. As estrelas lindamente esculpidas que aparecem neste livro não começam a se exercitar seis semanas antes de uma filmagem e nem param assim que ela acaba. Elas aprenderam a seguir um programa de atividade física quer estejam ou não na frente das câmeras, e não ficam me telefonando no último minuto à espera de um milagre.

Ao escolher este livro, você mostrou que está motivada a fazer uma mudança. Mas o sucesso a longo prazo exige mais do que vontade de começar. É preciso ter capacidade de começar vezes sem fim. Todos os dias, os meus filhos, o meu trabalho, a minha casa e o meu estilo de vida exigem muito de mim. A vida de nenhuma de nós é muito fácil. Alguns dias não correm conforme o planejado! Supermodelos ou supermães, todas nós enfrentamos obstáculos e limitações de tempo. São dificuldades inevitáveis e você tem que estar preparada para lidar com elas.

Se perder alguns treinos porque ficou doente ou atolada no trabalho, não desista de tudo! Isso não é o fim do mundo. Jogue esse dia ou essa semana pela janela e retome assim que possível o estilo de vida saudável. Não esqueça: por mais tempo que você fique sem treinar, nunca é tarde para amarrar os tênis e começar a se mexer de novo.

Lembre-se: quem deixa de planejar está fazendo planos para fracassar. Então, no começo de cada semana, pegue a sua agenda e reserve uma brecha para cada treino. Anote no calendário, como se fosse uma consulta com o médico ou uma reunião de pais e mestres. Quando você põe por escrito esses "compromissos com a boa forma", é mais provável que os encare como acontecimentos importantes que não pode perder. Treinar na mesma hora todos os dias também vai ajudá-la a criar uma rotina.

Se ainda assim você não consegue manter esses compromissos, pare e procure descobrir o que a impede. Se a falta de tempo é o principal problema, analise sua programação semanal para determinar para onde o tempo está indo. Quando souber quais são os seus obstáculos, você vai descobrir maneiras de contorná-los. Pode ser também que você se dê conta de que algumas atividades, como ver TV ou secar o cabelo, não são tão importantes quanto a atividade física e decida usar esse tempo de maneira mais produtiva.

Fale com a sua família, com os amigos e colegas de trabalho sobre a sua necessidade de se exercitar e peça o apoio deles. Estudos revelam que pessoas que têm um alto nível de apoio social têm mais sucesso na tentativa de manter um programa regular de atividade física — então, é essencial pôr as pessoas de quem você gosta nesse barco. Se você perde os treinos por estar sobrecarregada com projetos profissionais ou tarefas domésticas, aprenda a delegar, a aceitar a ajuda dos outros e a simplesmente dizer "não".

As pesquisas sugerem também que um registro escrito dos treinos pode ajudá-la a se manter nos trilhos. Então, num caderno ou numa agenda, anote a data, a duração e os detalhes (o que você fez e como se sentiu) de cada sessão de exercícios. No final de cada mês, dê uma olhada nas anotações para avaliar suas conquistas. Se atingiu suas metas, dê a si mesma uma recompensa saudável, como uma massagem, uma nova roupa para treinar ou uma hora extra de sono. Você está mudando a sua vida para melhor e deve ter orgulho de si mesma!

Para que os treinos sejam sempre estimulantes, continue a variá-los. Se fizer os mesmos exercícios o tempo todo, os músculos vão se adaptar e você vai acabar atingindo um platô de boa forma. Para ultrapassar o platô, é preciso exigir um pouco mais do corpo ou desafiar os músculos com alguma coisa nova. No treino de força, experimente usar *dumbbells* mais pesados, fazer mais repetições ou incorporar novos exercícios à rotina. No treino cardiovascular, vá um pouco mais depressa, um pouco mais longe ou acrescente algumas subidas. Ou mude para uma nova atividade, como ciclismo, patinação ou aulas de aeróbica numa academia.

Estabelecer metas é uma ótima maneira de se manter motivada e concentrada nas mudanças positivas que está fazendo. Procure descobrir novos desafios para si mesma, além das sugestões deste livro. Por exemplo: você pode treinar para uma caminhada de confraternização, uma viagem de bicicleta ou uma corrida de 10 quilômetros. Nas férias deste ano, você pode acampar com a família num lugar em que as caminhadas, os passeios de bicicleta ou de caiaque sejam uma parte importante das atividades.

Os estudos demonstram que a maioria das pessoas precisa seguir um plano de exercícios por cerca de 30 a 60 dias para que o hábito comece a se arraigar. Então, nos próximos meses, faça o que for humanamente possível para manter a regularidade dos treinos. Se precisar de mais idéias para se manter motivada, você pode fazer uma assinatura para receber via *e-mail* minhas Health-E-Tips (dicas diárias de saúde). O site www.healthetips.com oferece mais detalhes.

As mulheres das aulas de Hidden Hills dizem que me devem muito pela minha orientação. Mas para mim é o contrário: eu lhes devo muito mais do que elas podem imaginar. E o mesmo vale para você. São *vocês* que me motivam a continuar buscando maneiras novas de fazer o treino cardiovascular, de atingir aqueles pontos problemáticos e de continuar ativa. Então, obrigada de novo!

Lembre-se de que você só tem um corpo. Não dá para trocar por um mais novo. Então, cuide dele direito! Não há nada mais atraente do que uma mulher forte, saudável e capaz de se firmar nos próprios pés. Um cardápio balanceado de boa comida e exercícios é a fonte da juventude. Então, vá em frente, divirta-se e seja saudável!

Fique em forma,
Sinceramente,

Agradecimentos

Escrever um livro envolve muitas pessoas. Pessoas que dedicaram muito tempo a este livro. Para começar, Stacy Whitman. Eu não teria feito um livro sem você. Você pôs minhas idéias e filosofias em palavras que ajudarão as pessoas a ter uma qualidade de vida melhor. E sua irmã, Wynne Whitman. Eu não a conheci pessoalmente, Wynnie, mas lhe devo um muito obrigada pelo seu trabalho. Meu agente, Matthew Guma, sem você não haveria um livro. Ponto final. Sua paixão e sua inspiração são incríveis e só posso me sentir agradecida por tê-lo na minha vida.

Para a minha editora, Ann Campbell — palavras não são suficientes para expressar minha gratidão pela sua dedicação a este livro. E Sharon House, você não sabe como eu lhe sou grata. Sua sensibilidade, sua personalidade generosa e sua perseverança me trouxeram até aqui. Eu não teria feito nada sem você — obrigada.

Um livro como este não pode ficar na prateleira só com palavras. A fotografia é o elemento que o torna vivo. Sem Eric Asla, este livro não teria vida. Eric, seu olho é incrível. Você é uma pessoa adorável: sua sensibilidade e seu calor me deixaram ser eu mesma na frente das câmeras. Não há como lhe agradecer.

Muito obrigada àqueles que tornaram as sessões de foto memoráveis: Debbie F., Kathy H. e Helen J. Acima de tudo, agradeço à minha família. Meu melhor amigo, meu parceiro e minha alma gêmea, Billy. Eu o amo e lhe agradeço por me agüentar durante todo este processo. E todos os dias descubro a razão de estarmos aqui: meus filhos. A carinha deles me traz felicidade de manhã, de tarde e de noite. Cada dia nos traz uma nova experiência aqui na terra. Não a deixem passar.

Fotos — Direitos de Reprodução

Foram feitos todos os esforços para localizar os detentores dos direitos de todas as fotografias contidas neste livro, mas alguns não foram localizados. No caso de alguma fotografia ter sido usada sem permissão, os detentores dos direitos devem entrar em contato com a autora: Broadway Books, 1745 Broadway, New York, NY 10019, Attn: Editorial.

Página do título (no sentido horário) Cortesia de Kathy Kaehler, NBC/Getty Images, Danny Moder, Frank Trapper/Corbis Sygma
Página 16: Tracy Mochel Photography
Página 58: Steve Granitz/WireImages.com
Página 62: Cortesia de Kathy Kaehler
Página 82: Cortesia de Kathy Kaehler
Página 87: Eric Asla
Página 88: Cortesia de Kathy Kaehler
Página 108: NBC/Getty Images
Página 111: NBC/Getty Images
Página 136: Cortesia de Kathy Kaehler
Página 168: Frank Trapper/Corbis
Página 173: Danny Moder
Página 177: Danny Moder
Página 198: Mark Seliger/Corbis Outline
Página 222: Frank Trapper/Corbis Sygma
Página 224: Mike Russ Photography
Página 225: Cortesia de GoodTimes Entertainment